木材科学講座 3
木材の物理 改訂版

石丸　優・古田裕三・杉山真樹 編

WOOD
SCIENCE
SERIES

海青社

執筆者紹介 （五十音順　＊印は編集者。丸括弧内は執筆箇所）

朝　倉　靖　弘	北海道立総合研究機構林産試験場 研究主幹	（2章4節）
安　藤　幸　世	名古屋大学大学院生命農学研究科 助教	（3章1節）
石　丸　　優＊	京都府立大学名誉教授	（2章2, 3節，資料1, 2）
大　内　成　司	大分県産業科学技術センター 上席主幹研究員	（付章）
神　林　　徹	森林総合研究所 木材改質研究領域 主任研究員	（1章5節）
桐　生　智　明	株式会社日東分析センター	（付章）
久保島　吉　貴	森林総合研究所 木材加工・特性研究領域 物性研究室長	（2章7節）
神　代　圭　輔	京都府立大学大学院生命環境科学研究科 准教授	（3章5節）
酒　井　温　子	奈良県森林技術センター 副所長	（2章2, 3節）
杉　山　真　樹＊	森林総合研究所 木材加工・特性研究領域 チーム長	（2章1, 6節）
鈴　木　養　樹	森林総合研究所 木材加工・特性研究領域 研究専門員	（2章6節）
関　　雅　子	産業技術総合研究所 マルチマテリアル研究部門 主任研究員	（3章5節）
園　田　里　見	職業能力開発大学校 基盤ものづくり系 教授	（3章7節）
田　中　聡　一	京都大学生存圏研究所 生存圏開発創成研究系 助教	（資料1, 2）
仲　村　匡　司	京都大学大学院農学研究科 教授	（2章8節）
原　田　寿　郎	森林総合研究所 木材改質研究領域 研究専門員	（2章5節）
古　田　裕　三＊	京都府立大学大学院生命環境科学研究科 教授	（3章3節）
松　村　順　司	九州大学大学院農学研究院 教授	（1章1〜4節）
三　木　恒　久	産業技術総合研究所 マルチマテリアル研究部門 研究グループ長	（3章5節）
宮　藤　久　士	京都府立大学大学院生命環境科学研究科 教授	（1章5節）
三　好　由　華	森林総合研究所 木材加工・特性研究領域 主任研究員	（3章2〜4節）
村　田　功　二	京都大学大学院農学研究科 准教授	（3章2, 4, 6節）
森　　拓　郎	広島大学大学院先進理工系科学研究科 准教授	（3章8節）

序

地球生態系の中で，樹木はバイオマスとしては最大の蓄積量を誇っており，光合成による炭素固定，酸素の供給を通して温暖化防止の役割を担うとともに，水源涵養，山地災害の防止などの環境保全にも重要な役割を果たしてきた。さらに，樹木は人類にとって身近で重要な材料である木材を供給してきた。

樹木が光合成により太陽光のエネルギーを固定した産物である木材を材料として長期に利用し続けることは，樹木に固定された炭素を，二酸化炭素として直ちに大気中に放出するのではなく，炭素ストックとして固定し続けることであり，大気中の温室効果ガス増加の抑制に寄与する。また，木材は建築部材，家具，紙などに利用する際，金属や高分子など他材料と比較して加工に必要な消費エネルギーが小さく，木材の利用により化石資源の消費を抑制することができる。さらに，材料としての用途を終え廃棄する際には，燃焼させることにより固定した炭素を大気中に戻すことになるが，発生する熱をエネルギー源として利用することもできる。木材は光合成による森林の炭素固定量の範囲内で利用する限り，環境に負荷を与えない究極の循環型資源であるといえる。しかも，木材は視覚，嗅覚，触覚等の感覚においても人間の生理・心理面にリラックス効果などの良い影響を与えることが知られており，人々の生活に安らぎや快適性を与えるアメニティー材料でもある。

「木材科学講座」は，このように優れた特性を持つ木材を科学の立場から，生物資源科学系ないし森林資源学系の学生や木材を初めて学ぶ人達を対象として著述された一連のテキストであり，木材物理分野については，これまで「物理」が刊行されてきた。しかし1995年に同書の第2版が刊行されてから20年以上が経過し，木材物理分野の研究の深化，進展にともなって記載内容を改変すべきとの要望が高まり，

今回かなりの内容を改変することとし，書名も「木材の物理」に変更した。この改訂にあたっては，執筆者は全国の木質資源科学を担当する教員に限らず，担当執筆分野で活躍中の試験研究機関所属の研究者にも執筆を依頼した。また，記載内容や構成については前版「物理」をかなりの部分で参考にしている。

　なお，本書「木材の物理」では，特に建築用途への木材利用を進めるにあたり，耐火性が重要な課題となっている現状を踏まえ，「第2章第5節 熱分析，熱分解および燃焼」を設けた。また，生物材料のうちで木材とともに重要な地位を占める竹の組織構造と物性などの基礎的情報を巻末資料として掲載した。

　また，「物理 第2版」第2章第8節「放射線特性」と関連しては，現状では被爆木の放射線量の推移の追跡が木材利用の観点から重要であるが，これ自体は木材の物理特性とはいえないことから対象外とした。また，「物理 第2版」で全文掲載した木材試験法に関するJISについては，2009年の改正において，ISO規格との整合性を図ったことにより大幅にページが増えたため全文掲載は取りやめ，JIS Z 2101：2009に記載の項目名を示すとともに，検索・入手方法を解説することにより読者の便宜を図ることにした。

　なお，今回の改訂版においては，誤字・誤植の修正および最小限の内容訂正にとどめた。

　本書を通じて多くの方々が木材の物理的な性質について，基礎的な知識を身につけ，木を合理的かつ有効に利用することにつなげて頂ければ幸いである。

編者しるす

木材科学講座 3

木材の物理

目　次

本文中で☞印を付した用語は，巻末
「索引・用語解説」に解説を掲載し
た。また，索引用語は和文だけでな
く英文をも示した。

目　　次

序 1

第1章　木材の構造と形態 9
第1節　樹木と木材 9
1.1　樹木の出現と分類 9
1.2　樹木の成長 9
第2節　肉眼的構造 12
2.1　樹幹3方向と3断面 12
2.2　成　長　輪 13
2.3　辺材，移行材，心材 14
2.4　木理，肌目，杢，リップルマーク 15
第3節　微細構造 17
3.1　細胞構造 17
3.2　細胞壁構造 22
第4節　樹幹の欠点 25
4.1　成長応力 25
4.2　未成熟材 25
4.3　あ　て　材 27
4.4　その他の欠点 27
第5節　化学組成 30
5.1　元素組成 30
5.2　化学組成 30
5.3　セルロース 31
5.4　ヘミセルロース 31
5.5　リグニン 32
5.6　抽出成分 33

第2章　木材の物理的性質 35
第1節　密　　度 35
1.1　密度と比重 35

目　　次　　5

　　1.2　木材の密度..36
　　1.3　真比重(真密度，木材実質密度)........................38
　　1.4　空　隙　率..39
　　1.5　樹幹内における木材密度の変動........................39
　第2節　木材と水..42
　　2.1　含有水分量..42
　　2.2　含有水分の存在形態..44
　　2.3　水分吸着..45
　　2.4　水分拡散..46
　　2.5　液体透過性..47
　第3節　膨潤および収縮..49
　　3.1　膨潤・収縮のメカニズム....................................49
　　3.2　膨潤率・収縮率の求め方....................................49
　　3.3　膨潤率，収縮率と含水率....................................50
　　3.4　膨潤・収縮に関与する因子................................51
　　3.5　膨潤・収縮の異方性..52
　　3.6　応力下における膨潤・収縮................................53
　　3.7　膨　潤　圧..54
　　3.8　有機液体による木材の膨潤................................54
　第4節　熱　特　性..59
　　4.1　熱　膨　張..59
　　4.2　比　　　熱..60
　　4.3　熱　容　量..61
　　4.4　熱伝導率..61
　　4.5　熱拡散率..63
　　4.6　熱伝導率の測定方法..63
　第5節　熱分析，熱分解および燃焼............................65
　　5.1　熱　劣　化..65
　　5.2　木材の燃焼と難燃処理....................................65
　　5.3　熱　分　析..66

5.4	発　熱　量	67

第6節　電気的性質 ... 69

  6.1　乾燥木材の電気抵抗および導電率 ... 69

  6.2　含水率と導電率 ... 70

  6.3　木材の誘電性 ... 71

  6.4　交流電場における誘電性 ... 72

  6.5　木材の圧電性 ... 74

  6.6　電気的性質を利用した木材の含水率測定 ... 74

第7節　音響特性 ... 77

  7.1　音速，弾性率，振動減衰率 ... 77

  7.2　音場に対する性質 ... 80

第8節　光　特　性 ... 86

  8.1　木材の色 ... 86

  8.2　木材の光沢 ... 90

第3章　木材の力学的性質 ... 95

第1節　弾　　　性 ... 95

  1.1　応力とひずみ ... 95

  1.2　弾性的性質 ... 101

第2節　粘　弾　性 ... 106

  2.1　粘弾性材料としての木材 ... 106

  2.2　粘弾性の基礎式 ... 107

  2.3　クリープ ... 108

  2.4　応力緩和 ... 109

  2.5　一般化したクリープモデルおよび緩和モデル ... 110

  2.6　遅延スペクトルおよび緩和スペクトル ... 111

  2.7　さまざまなクリープおよび緩和現象 ... 113

  2.8　非定常状態の粘弾性 ... 114

第3節　動的粘弾性 ... 117

  3.1　動的粘弾性 ... 117

3.2	自由振動による動的粘弾性の測定	118
3.3	強制振動による動的粘弾性の測定	120
3.4	動的粘弾性に影響を及ぼす因子	121
3.5	動的粘弾性と履歴の関係	123

第4節　破　　　壊 125

4.1	寸法効果	125
4.2	複合応力状態における破壊条件	126
4.3	破壊力学と木材	127
4.4	応力・ひずみの解析と破壊の評価方法	128

第5節　力学的性質各論 130

5.1	圧　　縮	130
5.2	引　　張	134
5.3	せ ん 断	137
5.4	曲　　げ	140
5.5	ね じ り	144
5.6	硬　　さ	145
5.7	衝　　撃	147
5.8	摩　　耗	151
5.9	疲　　労	153
5.10	座　　屈	155

第6節　力学的性質に影響を及ぼす諸因子 160

6.1	密　　度	160
6.2	異方性と繊維傾斜	161
6.3	節	162
6.4	温　　度	163
6.5	含 水 率	164
6.6	荷重速度（ROL）	165

第7節　弾性・強度の諸性質間の関係 166

7.1	強度間の相関関係	166
7.2	弾性・強度間の相関関係	168

	7.3 強度等級区分	169
第8節	許容応力度	172
	8.1 基準強度の誘導	172
	8.2 許容応力度の導出	173

付章 竹の組織構造と物性 176

1. 竹の概要 176
2. 組織構造 177
3. 物理的性質 180
4. 生育中の材質の変化 182
5. 竹材の利用に関して 184
6. 海外における竹 184

資 料 187

1. 本書で用いる単位系について 187
2. 木材の試験方法 189
   - 2.1 木材の試験法(JIS Z 2101：2009)の制定 189
   - 2.2 JIS Z 2101：2009 の規定項目 190
   - 2.3 JIS Z 2101：2009 の検索・閲覧および入手方法 193

索引・用語解説 195

＜ 一口メモ ＞

古代にも見られた伐採による森林破壊	29
木材の調湿機能	34
木材の含水率	41
横断面の膨潤・収縮が均等に起こると	58
木材を触れたときに感じる温かさ	68

第1章　木材の構造と形態

第1節　樹木と木材

1.1　樹木の出現と分類

　木質資源となる木本植物(woody plant)はシダ植物と種子植物に属する。シダ植物は商品としての木材を生産しない。種子植物は裸子植物と被子植物に分けられる。裸子植物はソテツ類，イチョウ類，グネツム類，針葉樹類に分けられ，一般に針葉樹類とイチョウ類から生産される材を針葉樹材(softwood, coniferous wood)という。また，被子植物は単子葉類と双子葉類に分けられ，双子葉類のうち木本のものを広葉樹(broadleaf tree)といい，その材を広葉樹材(hardwood)という。

　地球上に裸子植物が現れたのは，2～3億年前の古生代二畳紀頃で中生代の三畳紀，ジュラ紀に広く栄え，大森林を形成した。被子植物の起源は裸子植物より1～2億年遅れて中世代ジュラ紀から現れはじめた。広葉樹を含む双子葉類は中生代の白亜紀になって頻出するようになった。

1.2　樹木の成長

　樹木は樹冠(crown)，樹幹(stem)，根(root)の3つの部分から成り立っている(**図1-1**)。樹冠は葉と枝で構成され，葉は二酸化炭素を吸収して光合成を行い，樹木の成長に必要な栄養分を作り出している。根は大きな樹体を大地に固着させて倒れないようにするとともに，土壌中の水や無機成分を取り込む役割を果たしている。樹幹は，根から吸収した水や無機成分を葉へ運び，樹冠で作り出された有機物を貯蔵し，さらに樹体を支持するための強固性を発揮している。樹幹(枝も同様)は樹皮と木部に大別され，樹皮はさらに外樹皮(outer bark)

と内樹皮(inner bark)に分けられる。外樹皮は死滅組織で樹体の保護を行い，内樹皮は生きている組織を含み樹冠から栄養分を運搬している。木部は樹体を支える役割を果たすとともに，根から樹冠への水や無機成分の運搬や貯蔵を行っている。木材とは，樹幹の木部を材料として使うときの言葉である。

(1) 一次成長(伸長成長)

樹木の芽には成長点といわれる頂端分裂組織(apical meristem)があり，さかんな分裂能力を持っている(**図1-2**(a-a))。頂端分裂組織は分裂に伴って上方へ押し上げられ，下方には分裂した細胞が大きさや形を変え，分化する。この部分は，最外層を取り囲む原表皮(protoderm)，軸

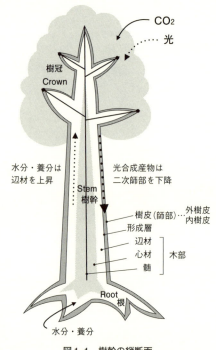

図1-1 樹幹の縦断面

方向に長い細胞群で円周上に並んだ前形成層(procambium)，両者を除いた部分の基本分裂組織(ground meristem)から構成される(**図1-2**(b-b))。これら3つの細胞群は次第に永久組織化され(**図1-2**(c-c))，原表皮は表皮(epidermis)となる。基本分裂組織は中央部の髄(pith)と皮層(cortex)となる。前形成層は髄側と表皮側から徐々に永久組織化され，維管束(vascular bundle)となる。維管束は，中央に分裂機能を持った束内形成層(fascicular cambium)，内側に一次木部(primary xylem)，外側に一次師部(primary phloem)からなる。表皮，維管束，基本分裂組織の細胞は分裂能力を失って永久組織になるが，束内形成層の細胞だけが樹木の生涯を通して分裂能力を持ち続ける。これが一次成長(primary growth)が終了した組織である。

(2) 二次成長(肥大成長)

一次成長の最終段階では，束内形成層と同じ円周上に束間形成層（inter-

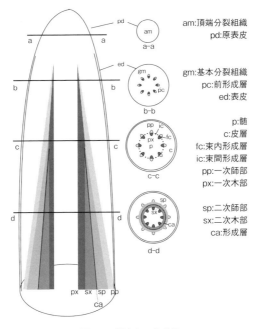

図1-2 樹木の一次成長

fascicular cambium)ができ，両者が連結して髄と一次木部を囲むように環状の維管束形成層(vascular cambium)が完成する(**図1-2**(d-d))。これを単に形成層(cambium)と呼んでいる。形成層は内側に二次木部(secondary xylem)，外側に二次師部(secondary phloem)を形成する。これが二次成長(secondary growth)である。形成層は生涯を通して二次木部と二次師部を形成する。二次師部は外側の古い組織から順次剥離するので大量に蓄積されることはないが，二次木部は蓄積して樹幹の大部分を占めるようになる。肥大成長を行い，二次木部を蓄積していくことが樹木の特徴であり，木材利用とは，この二次木部を材料として利用することである。

第2節 肉眼的構造

2.1 樹幹3方向と3断面

樹幹は幹軸方向および放射方向に細長い細胞が配列した組織から成り立っている。そのため，方向や断面によって細胞の配列の仕方が異なる。木材を立体的に把握するためには，基準方向とそれに対応する断面における形態的な構造を知る必要がある（**図1-3**）。基準方向には，樹幹

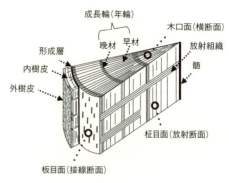

図1-3 木材の3断面

の軸方向である繊維方向(longitudinal or axial direction; L方向)，これに直角で髄を通る放射方向(radial direction; R方向，半径方向)および両者に直角で年輪に沿った接線方向(tangential direction; T方向)がある。

木材の基本的な断面は，横断面(transverse or cross section; RT面，木口面)，放射断面(radial section; LR面，まさ目面)，接線断面(tangential section; LT面，板目面)の3断面である。また，樹幹を任意方向に木取りした場合には，3断面それぞれの材面を木口(end grain)，まさ目(edge grain, quarter-sawn grain)，板目(flat grain, flat-sawn grain)という。なお，まさ目と板目の中間の材面を追いまさ，板目板で樹幹の樹皮方向に向いた面を木表(bark side)，髄方向へ向いた面を木裏(pith side)という。

樹幹の横断面をみると，ほぼ中心に髄があり，外側へ向かって木部，形成層，樹皮の順になっている。髄は繊維方向に小さな円筒状になったもので，その横断面はふつう円形である。針葉樹では樹種による差はほとんどないが，広葉樹では円形以外のものもある。髄は初年に形成された後はその大きさを変えず，多くの樹種で直径が1〜2mmである。日本産の樹種ではキリの約10mmが最も大きい。

放射組織は材の内部から外部へ向かって成長輪に直角に放射状に並んだもの

で，その先端は形成層を通って樹皮に達している。放射組織の中で髄から出発しているものを一次放射組織(primary ray)，途中から出発しているものを二次放射組織(secondary ray)という。その大きさは樹種によって異なるが，一般に針葉樹の放射組織の幅は狭い。広葉樹の中で著しく大きいものはナラ類，カシ類などで見られる。放射断面では放射組織は明瞭な帯状の輝線を成していることが多いが，接線断面では直立した短い紡錘形のすじをなしているものの，ふつうは鮮明ではない。なお，放射組織の役割は栄養分の水平方向の通導と貯蔵である。

2.2 成長輪

樹木は形成層始原細胞(cambial initial)の分裂によって師部と木部を形成し，肥大成長を行う。1成長期に形成された細胞は，横断面で見ると環状の層として認められる。この層を成長輪(growth ring)といい，暖帯・温帯地域では樹木の成長は春に始まり，夏には成長速度が低下し，秋になると成長が停止する。その後，翌年の春に成長を開始するまで休止する。このように1成長期が1年の場合に年輪(annual ring)という。一般に，針葉樹材や広葉樹の環孔材は成長輪がはっきりしているが，広葉樹の散孔材でははっきりしないものが多い。熱帯地域の樹木では，乾期と雨期が明瞭に区分できる地域を除いて，成長輪は不明瞭になる。

成長期間中に気候条件や虫害などを受けて一時的に肥大成長が停止または不活発になり，後に回復した場合，1年輪内に2つ以上の年輪が形成されたように見える場合がある。これを重年輪(double ring, multiple ring)といい，重年輪のうち，最後にできた1成長輪以外の成長輪を偽年輪(false annual ring)という。偽年輪は樹幹の全円周に渡って完全に形成されていないことが多く，正常な年輪界に比べて不明瞭になる特徴を持つ。なお，正常な年輪でも老齢樹や極めて成長が遅い樹木では，部分的に細胞形成が行われずに年輪の一部が欠け，完全な環にならないことがある。これを不連続年輪(discontinuous annual ring)という。

1成長輪内の木部細胞の形態は，成長期の始めに形成された早材(earlywood)と成長期の後半に形成された晩材(latewood)で異なる。針葉樹では，主要構成要素である仮道管(tracheid)の形態が大きく異なり，早材は放射径が大きく，

細胞壁が薄く，主に通導要素としての役割を担う。晩材は放射径が小さく，細胞壁は厚く，主に樹体の支持などの力学的な役割を担う。早材から晩材への移行や晩材率(1成長輪内に占める晩材の割合)には樹種特性があり，日本産ではアカマツ，トガサワラ，カラマツ，ツガなどの晩材率は高く，早材から晩材への移行が急な樹種である。一方，イチイ，イヌマキ，コウヤマキ，トウヒ，ヒメコマツなどの晩材率は低く，早材から晩材への移行が緩やかな樹種である。ただし，同じ樹種でも成長輪構造は成育環境などに影響を受けるため，変異は大きい。

　広葉樹では，道管の配列から環孔材(ring-porous wood)，散孔材(diffuse-porous wood)，半環孔材(semi-ring-porous wood)などに分けられる。環孔材では成長の始め，すなわち早材の初期に大径道管が形成される。この部分を孔圏(pore zone)という。散孔材では成長輪内に道管が散在し，早材と晩材の区別が不明瞭な場合がある。

2.3　辺材，移行材，心材

　樹幹横断面を見るとき，樹幹の外周部に淡色の層が，内心部には濃色の層がある。樹幹の外側の層を辺材(sapwood)といい，内側の層を心材(heartwood)という。辺材と心材の移行部を移行材(intermediate wood)という。

　辺材は樹木の生立時に生活細胞が存在する部分である。すなわち，形成層活動により完成した細胞の中で，針葉樹の仮道管および広葉樹の道管要素や木部繊維(living wood fiberを除く)は細胞完成と同時に死細胞になるが，軸方向柔細胞と放射柔細胞は完成後も生き続ける。柔細胞が生活細胞として機能している部分が辺材である。辺材の柔細胞は種々の生理機能を有し，またデンプンや脂肪などを貯蔵している。辺材は根から吸い上げた水の移動経路として機能し，針葉樹では早材仮道管，広葉樹では道管が水分通導の役割を担う。そのため仮道管の連絡路である有縁壁孔は開放し，道管には通常チロース(tylosis)が形成されてない。

　心材ではすべての細胞が死細胞であり，生活機能を有しない。辺材の柔細胞にあった貯蔵物質は心材化に伴って心材成分へ転化され，柔細胞から周辺の仮道管または木部繊維や道管へと移動し，細胞壁に沈着する。これにより心材木部の耐久性が上がる。暖・温帯地域における心材形成の時期は，形成層活動

が低下し始める夏から秋にかけて進行するとされる。心材には水分通導の役割はなく，有縁壁孔は閉塞し，心材成分が沈着している。外観的な特徴として，材が濃色を示す着色心材を持つ樹種や着色しない無色心材を持つ樹種がある。無色心材でも外傷や腐れが原因で着色する場合があり，これを偽心材（false heartwood）という。心材色は木材の装飾的価値に影響する。

2.4 木理，肌目，杢，リップルマーク

(1) 木　理

木理（grain）とは，材面あるいは材中で，木材を構成する細胞の配列や方向を示す言葉であって，次のようなものがある。

1) 通直木理（straight grain）

構成要素が樹幹軸あるいは材軸に平行に配列しているもので，通直木理の材を「目の通った材」などという。

2) 交走木理（cross grain）

構成要素が幹軸または材軸に対して平行でない配列状態の総称。次のように分類される。

① 斜走木理（diagonal grain）

製材品に現れ，構成要素は平行であるが，材軸に平行していないもので，これを「目切れ材」などという。

② らせん木理，旋回木理（spiral grain）

要素が幹軸の周りにらせん状に配列しているもので，ＺらせんとＳらせんがある。乾燥する際にねじれを起こしやすい。一般に，らせん木理は針葉樹にも広葉樹にもふつうに起こる現象であるが，特にカラマツでは著しい。

③ 交錯木理（interlocked grain）

いくつかの成長輪内の要素が材軸に対して一方向に傾斜し，これに隣接するいくつかの成長輪内の要素がこれと反対方向に傾斜しているものである。熱帯産材に多く見られる木理である。国産材ではクスノキに見られる。

④ 波状木理（wavy grain）

要素が幹軸に対して一定の走向で配列せずに集団的に波状に配列する木理をいう。

⑤ 不規則木理(irregular grain)

　細胞の配列が甚だ不規則なために現れる木理で，節の周囲や根株の部分に多い。

(2) 肌　目

　肌目(texture)とは，材面における構成要素の大小，精粗，分布などの差異によって生じる材面の状態を指す。構成要素が大きい場合は粗肌目(coarse texture)となり，逆を精肌目(fine texture)という。構成要素の大きさに変動がなく，配列も均等なものを均斉肌目(even texture)という。構成要素の大きさが大きいものや年輪幅が広い場合などを「粗い」肌目，その反対を「細かい」肌目ともいう。例えば，アカマツやクリは目が粗く，イチイやブナは目が細かいなどという。

(3) 杢

　杢とは，通直木理以外の木理を持っていて，根際であったり，こぶがあったりするために，形成される工芸的な価値を持つ材面の模様をいう。例えば，玉もく，牡丹杢(ボタンの花模様)，うずら杢(うずらの羽模様)，リボン杢(交錯木理による)，魚鱗杢などがある。

- 玉杢：ケヤキ，ヤチダモ，クワ，クスノキ
- 牡丹杢：ケヤキ，ヤチダモ，クワ
- うずら杢：屋久スギ，ネズコ
- 虎斑：ミズナラ
- 鳥眼杢：イタヤカエデ，メープル

(4) リップルマーク

　リップルマーク(ripple marks)とは，接線断面において軸方向の細胞や放射組織が水平方向に並んでいる配列，すなわち，層階状配列(storied arrangement)した模様のことをいう。トチノキ，カキノキ，シナノキなどで見られる。

第3節　微細構造

3.1　細胞構造

(1) 針葉樹材

針葉樹材の構成要素は，軸方向に配列する細胞として，仮道管(tracheid)，軸方向柔細胞(axial parenchyma cell)があり，水平方向に配列する細胞として，放射柔細胞(ray parenchyma cell)，放射仮道管(ray tracheid)がある。全樹種に共通して存在する構成要素は仮道管と放射柔細胞である。

1) 仮道管

仮道管(tracheid)は全構成要素の90％以上の容積を占め，針葉樹材の主要な構成要素である。仮道管の形状は軸方向に細長い紡錘形をした中空の細胞で，一般に長さは3〜5mmである。仮道管の寸法は樹種によって異なる。ただし，同一樹種でも個体間，樹幹内，成長輪間で異なる。仮道管長は髄付近で最も短く，形成層齢(年輪番号)の増加に伴って急激に長くなり，15〜20年輪を過ぎると安定する。このような仮道管長の規則的な水平変動パターンはサニオ(Sanio)の法則と呼ばれている。仮道管は紡錘形始原細胞(fusiform initial)からの分化過程で5〜10％しか伸長しないため，仮道管長の水平変動パターンは形成層齢の増加に伴う紡錘形始原細胞長の変化と言い換えることができる。紡錘形始原細胞の長さが安定していない段階，すなわち形成層が未成熟な時期に形成された材を未成熟材(juvenile wood)という。一方，紡錘形始原細胞の長さが安定した成熟期に形成された材を成熟材(mature wood)という。未成熟材は密度などの物理的性質や弾性率などの力学的性質が成熟材に比べて安定しておらず，材質の面で劣る。間伐材や若齢木などでは，大半が未成熟材であるため利用に際して十分考慮する必要がある。

紡錘形始原細胞からの分化過程で横面分裂によって短い細胞が連なることがある。これをストランド(strand)という。このような構造を持った仮道管をストランド仮道管(strand tracheid)という。

仮道管と仮道管が隣接するとき，互いに同じ場所に有縁壁孔(bordered pit)と呼ばれる細胞間の連絡路ができ，有縁壁孔対(bordered pit pair)を形成す

る。早材仮道管には多くの有縁壁孔が存在し、そのほとんどが放射壁に分布する。晩材仮道管では有縁壁孔の数は少なく、樹種によっては年輪界付近の接線壁にも存在する。早材部の有縁壁孔を正面から見るとき（放射断面で見るとき），壁孔縁（pit border）外周の輪郭，孔口（pit aperture）ともに円形を示す。樹種によってはレンズ形の孔口が見られる。一方，晩材仮道管の孔口はレンズ形を示す。早材仮道管の有縁壁孔は大きく，壁孔縁の直径は $10 \sim 30 \, \mu m$，孔口の直径は $4 \sim 8 \, \mu m$ 程度である。有縁壁孔は，心材化に伴って壁孔膜（pit membrane）が一方の壁孔縁に移動して，トールス（torus）が孔口を塞ぐ。これを有縁壁孔の閉塞あるいは閉鎖（pit aspiration）という。さらに心材物質が壁孔膜に沈着（pit incrustation）することで，完全にシールされる。このことは，心材では仮道管から隣の仮道管への水分通導の役割が終えたことを示している。辺材の有縁壁孔はほとんど開放しているが，伐採後の乾燥過程で水分消失に伴う閉塞が起こる。樹木木部を利用する際には，有縁壁孔の状態が材内への液体や気体の透過性に大きく関与することから，木材の薬液注入性や乾燥性に大きな影響を与える。

2）軸方向柔細胞

木部の柔細胞のうち，樹幹の軸方向に長い柔細胞を軸方向柔細胞（axial parenchyma cell）という。軸方向柔細胞は紡錘形始原細胞に由来し，養分の貯蔵や分配を担っている。軸方向柔細胞には，樹脂細胞（resin cell），異形細胞（idioblast），エピセリウム細胞（epithelial cell）がある。

3）放射組織

放射組織は，放射組織始原細胞に由来し，放射柔細胞と放射仮道管を含む。放射柔細胞（ray parenchyma cell）はすべての樹種に存在する細胞である。放射柔細胞は放射方向に長い細胞から構成され，樹木の放射方向に配列して，養分の貯蔵や分配を担っている。放射仮道管（ray tracheid）は放射方向に長い仮道管であり，日本産針葉樹の中で常に存在するのは，マツ，トガサワラ，カラマツ，トウヒ，ツガの各属だけである。接線断面で放射組織を見ると，軸方向に一列に並んだ単列放射組織（uniseriate ray）が多数見られるが，後述の水平方向樹脂道を含む場合は多列放射組織（multiseriate ray）となる。

放射断面では，軸方向仮道管と放射柔細胞が交差する場所を分野（cross field）

といい，両細胞間にできる半縁壁孔対（half bordered pit pair）を分野壁孔（cross-field pitting）という。分野壁孔は属により異なるタイプを持つので材の樹種識別において重要な指標になる。日本産針葉樹では，窓状壁孔，ヒノキ型，スギ型，トウヒ型の4タイプが存在する。

4）細胞間道（樹脂道）

樹脂道（resin canal）は細胞間に形成される細胞間道（intercellular canal）の一種で，樹脂道を取り囲むエピセリウム細胞から分泌される樹脂の貯蔵や分配の役割を担っている。樹脂道には軸方向に長い軸方向樹脂道と放射方向に長い水平方向樹脂道があり，両者は樹幹内でネットワークを形成している。正常に樹脂道が生じるのは，マツ属，トガサワラ属，カラマツ属，トウヒ属だけである。また，ツガ属やモミ属では，偶発的な傷害に反応して傷害樹脂道（traumatic resin canal）を生じる。傷害樹脂道は接線方向に一列に連続して並ぶ傾向がある。

辺材が心材化するとき，木化されてない薄壁のエピセリウム細胞は，樹脂道内部の圧力の下降に伴い，樹脂道内に膨出し，樹脂道の一部または全部を閉塞することがある。これをチロソイド（tylosoid）といい，マツ属に多い。

（2）広葉樹材

針葉樹材に比べて構成要素の種類が多く，それらが受け持つ機能も異なり，各構成要素の形状，配列，量も樹種によって著しく変化しているため，広葉樹材の構造は複雑である。軸方向に配列する細胞として，道管要素（vessel element），木部繊維（wood fiber），軸方向柔細胞が，放射方向に配列する細胞として放射柔細胞がある。

1）道管要素

道管は道管要素が軸方向に長くつながった管状の通導組織である。上下方向に隣接した道管要素の末端壁にはせん孔（perforation）と言われる穴があり，水分通導を容易にしている。せん孔がある細胞壁面をせん孔板（perforation plate）という。せん孔には多孔せん孔（multiple perforation）と単せん孔（simple perforation）があり，多孔せん孔には網状せん孔（reticulate perforation），階段せん孔（scalariform perforation），マオウ型せん孔（ephedroid perforation）などがある。

道管の長さは数10 cmから数10 mまであり，他の道管と道管相互壁孔

(intervessel pitting)を介して接続し，樹幹内でネットワークを形成する。道管相互壁孔には配列状態により，交互壁孔，対列壁孔，階段壁孔，ふるい状壁孔などと言われる。

　道管の通導機能が低下すると，道管に隣接する放射柔細胞や軸方向柔細胞から壁孔を通してチロース(tylosis)やゴム質(gum)が道管内腔に浸入して，一部あるいは全部を閉塞する。チロースの形成過程では，まず，道管と柔細胞間の壁孔膜が自己分解して消失した後に道管内へ浸入して細胞壁の肥厚が起こるとされる。道管の閉塞は気体や液体の透過性を低下させるため，容器としての利用や塗装には有利であるが，乾燥や薬液注入には不利に働く。

　道管の配列や分布により，以下のように分けられる。

- 散孔材(diffuse porous wood)：成長輪全体にわたって道管が散在し，大きさ（直径）および配列がほぼ一様な材。ブナ，シラカンバ，クスノキ，ヤマザクラ，イタヤカエデ，ユリノキ，ハンノキなど。
- 環孔材(ring porous wood)：成長輪の内層に直径の著しく大きい道管が成長輪界に沿って配列する材。センノキ，ケヤキ，ミズナラ，クリ，ヤチダモ，センダン，チャンチン，チャンチンモドキ，ケンポナシなど。
- 半環孔材(semi-ring porous wood)：成長輪の内層から外層へ向けて道管径が小さくなるが，環孔材よりも漸進的な材。オニグルミなど。
- 放射孔材(radial porous wood)：道管が主として放射方向に，時には斜め方向に配列する材。アカガシ，シラカシ，イチイガシなどのカシ類，マデバシイなど
- 紋様孔材(flame like porous wood)：比較的直径の小さい道管が火炎状ないし網目状に配列する材。ヒイラギ，クロウメモドキ，トベラなど。

　道管を持たない広葉樹として，日本産ではヤマグルマとセンリョウが挙げられる。主要な構成要素は仮道管であるが，大きな放射組織があることなど，針葉樹材とは容易に区別される。

2) 木部繊維

　広葉樹材で木部繊維と言う場合は，道管要素，柔細胞以外のすべての細長い細胞を総称し，形態的特徴から，仮道管(有縁壁孔を持つ)と，木繊維(単壁孔を持つ)に分けられる。前者は，道管状仮道管(vascular tracheid)，周囲仮道

第3節　微細構造

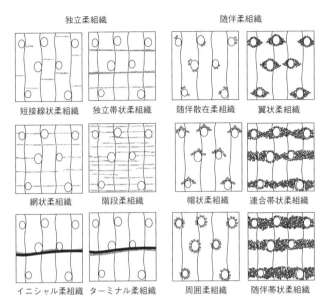

図1-4　横断面における軸方向柔細胞の配列

管 (vasicentric tracheid),繊維状仮道管 (fiber tracheid),後者は,真正木繊維 (libriform wood fiber),隔壁木繊維 (septate wood fiber),living wood fiberがある。この中で樹体の支持の役割を担っているのは,繊維状仮道管,真正木繊維,隔壁木繊維である。

広葉樹材の木部繊維は針葉樹材の仮道管と比べて長さは短いが,針葉樹と同様に形成層齢の増加に伴って長くなり,ある形成層齢に達すると安定する。

3) 軸方向柔細胞

軸方向柔細胞には,紡錘形柔細胞 (fusiform parenchyma cell) と柔細胞ストランド (parenchyma strand) の2つのタイプがある。

軸方向柔細胞は配列様式により,道管 (道管状仮道管を含む) と無関係に配列する独立柔組織 (apotracheal parenchyma) と,道管と関連を持って配列する随伴柔組織 (paratracheal parenchyma) がある (図1-4)。

4) 放射柔細胞

広葉樹の放射組織は放射柔細胞だけから構成される。接線断面で見たとき

の細胞幅は針葉樹と違って2列以上の多列型が多い。針葉樹の放射柔細胞が放射方向に細胞の長軸を持つ平伏細胞(procumbent ray cell)だけから構成されるのに比べて，広葉樹材では，平伏細胞，軸方向に長軸を持つ直立細胞(upright ray cell)，放射断面で正方形に近い方形細胞(square ray cell)が存在する。

辺材の生きた柔細胞は，核や細胞質とともにデンプンや脂質を含んでいる。心材化の進行に伴ってデンプンは心材物質に転化され，柔細胞中に沈着，または周辺の細胞へと放出される。また，内容物には樹種によって特徴的な結晶やシリカ(silica，二酸化ケイ素(SiO_2))がある。結晶のほとんどはシュウ酸カルシウムであり，結晶の形によって砂晶，柱晶，束晶，集晶，針晶などと呼ばれる。シリカは温帯産材にはあまり見られないが，熱帯産材ではかなりの樹種で見られる。材中にシリカが多いと刃物の摩耗を早めるため加工上の問題になる。

5) 細胞間道(樹脂道)

広葉樹の細胞間道はその内部に貯蔵する分泌物の種類によって樹脂道とゴム道(gum canal)に分けられる。日本産材には傷害樹脂道を除き，軸方向樹脂道を持つ樹種は見られない。南洋材では一部の樹種に認められる。水平方向樹脂道は，日本産ではチャンチンモドキ，カクレミノ，フカノキなどに見られ，南洋材ではウルシ科，カンラン科，フタバガキ科の一部の属に見られる。

3.2 細胞壁構造

木部にある完成した細胞の細胞壁は一次壁(primary wall)と二次壁(secondary wall)から成る。一次壁は形成層(cambium)の始原細胞が分裂するときに形成され，分裂して新生した細胞が拡大する間，原形質体(protoplast)を包んでいる。多くの植物細胞は一次壁を形成して終了するが，樹木細胞は細胞の拡大を停止したあと，一次壁の内側に二次壁を堆積し，肥厚する。ふつうの仮道管や木部繊維では，二次壁はさらに，ミクロフィブリルの配向によって外層(S_1層，outer layer)，中層(S_2層，middle layer)，内層(S_3層，inner layer)に分けられる(図1-5)。細胞壁の構成物質はマトリックス物質(matrix substance)，骨格物質(frame work substance)，皮殻物質(encrusting substance)の3つに分けられる。マトリックス物質と骨格物質はほとんど同時につくられるか，マトリックス物質の形成がやや早い。皮殻物質は細胞壁がある程度形成されたあとに初めてつくられる。木部細胞では，骨格物質は極めて長い鎖状の高分子であるセルロー

ス(cellulose)，マトリックス物質は短い鎖状の高分子であるヘミセルロース(hemicellulose)，皮殻物質は高分子のリグニン(lignin)である。さらに心材形成が起きるとポリフェノール成分が第2の皮殻物質となる。

マトリックス物質と皮殻物質，すなわち，ヘミセルロースとリグニンは木部細胞ではほと

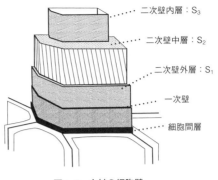

図1-5　木材の細胞壁

んど非結晶性である。骨格物質のセルロースはミクロフィブリル(microfibril)に集束されていて，結晶領域(crystalline region)と非晶領域(amorphous region)が存在する。ここで，ミクロフィブリルとは，多数のセルロース分子鎖が束ねられた細胞壁中での構成単位である。木部細胞壁のミクロフィブリルの幅は3～4nm程度と見積もられている。ミクロフィブリルの横断面は，中央部に結晶部分が存在し，その周囲を非晶部が取り囲むとされる。木部の細胞壁は鉄筋に相当するミクロフィブリルと骨材にあたるリグニン，セメントに相当するヘミセルロースで構成された鉄筋コンクリート構造に似た構造物と考えることができる(また，セルロースを鉄筋，リグニンをコンクリート，ヘミセルロースを鉄筋とコンクリートの結合性を高めるために巻かれた針金に例えることもある)。

隣接する細胞と細胞の間には細胞間層(intercellular layer: I層)が存在し，この細胞間層によって隣接細胞がくっついている。細胞間層と一次壁を併せて複合細胞間層(compound middle lamella)という。針葉樹材の細胞壁は40～50％のセルロース，20～35％のヘミセルロース，20～35％のリグニンを含む。木部細胞に存在するヘミセルロースは大きく分けて2種類で，針葉樹ではグルコマンナンとキシラン，広葉樹ではキシランからなる。木部細胞中のリグニンも2種類あり，針葉樹ではグアイアシル核(G核)を持つリグニン，広葉樹ではG核を持つリグニンとシリンギル核(S核)を持つリグニンの共重合体として存在する。化学組成については後節で詳しく説明される。

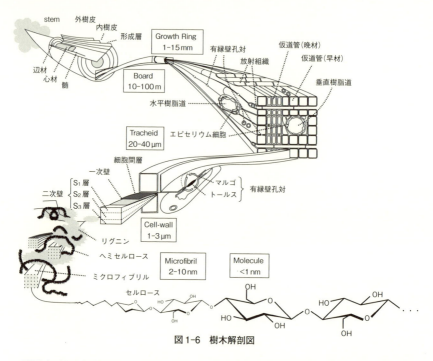

図1-6 樹木解剖図

　樹木解剖図を**図1-6**に示す。これまで述べてきたように，樹木＞木部＞組織＞細胞＞細胞壁＞化学成分＞分子の各階層において，木質資源として有効に活用していくことが木材科学の使命である。

第4節　樹幹の欠点

4.1　成長応力

樹木の幹は形成層始原細胞の分裂によって新しい木部と師部を形成して肥大成長する。直立した通直な樹幹でも，肥大成長によって新しくつくられた木部には成長に起因するひずみが生じ，それに対応する応力が発生する。この応力が年々蓄積され，樹幹には規則的な応力状態が形成される。このような樹木の肥大成長に起因して樹幹内部に生じる応力を成長応力(growth stress)という。正常な樹幹内部には成長応力が常に作用している(図1-7)。

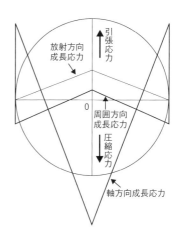

図1-7　樹幹内に作用する成長応力分布[1]

まず，樹幹内における周囲方向の応力は最外周の木部に最大の横圧縮応力が作用しており，中心から半径の1/3付近で応力はなくなる。それより中心に向かうと横引張応力に変わり，中心で最大の引張応力を示す。また，放射方向の応力は最外周では存在せず，中心向かって横引張応力が次第に大きくなる。軸方向では，最外周の木部で最大の縦引張応力が作用しており，中心に向かって引張応力は次第に減少し，中心から2/3付近で応力がない中立層が存在する。ここより内側では応力は圧縮応力に変わる。この圧縮応力は中心に向かって次第に増大し，中心で最大値に達する。伐採し，製材するということは，この成長応力を開放することであり，これに起因する割れが発生するため，取り扱いには注意を要する。

4.2　未成熟材

形成層が未成熟な時期に形成された材を未成熟材(juvenile wood)という。ふつう髄から15～20年輪までの木部が未成熟材にあたる。未成熟材の外側は成熟した形成層から形成された木部で，これを成熟材(mature wood)という。ま

た，成熟材部の外側に過熟期の形成層によって形成された木部がある場合，これを過熟材(senescent wood)という。樹幹の軸方向では同じ年次に形成された木部であっても，下方は成熟材，上方は常に未成熟材である(図1-8)。未成熟材部では髄から外方へ向かって，種々の木材性質が規則的に変動しており，材質は不安定である。これに対して成熟材部では木材性質が安定しており，樹幹固有の材質を持つ。さらに過熟材部では木材性質が再び変動し，材質が不安定になる場合がある。これらの傾向は針葉樹で顕著である。広葉樹では未成熟材の定義は定まっていない

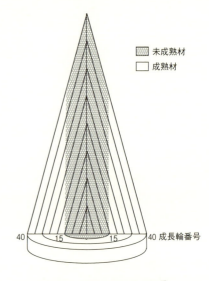

図1-8 針葉樹の未成熟材部[2]

が，後述の通り，用途にとって重要な材質指標を基準に分ける考え方が適用できるであろう。

幹が細い若い樹木では，細胞壁二次壁中層のミクロフィブリル傾角(microfibril angle：MFA)が大きく，剛性が小さいたわみやすい未成熟材部がほとんどなので，風などの外力を受けると幹はよくたわんでこれに耐える。幹が太くなるに伴って(形成層齢の増加に伴って)ミクロフィブリル傾角が小さくなり，成熟材が形成されるようになると，やがて樹幹が発揮できる限りの安定した剛性と強度を持って外力に抵抗するようになる。未成熟材を木材として利用する場合，未成熟材が比ヤング率(specific young's modulus)や比強度(specific strength)などの力学的性質，軸方向収縮率などの物理的性質が成熟材に比べて劣ることを留意する必要がある。

一方，利用目的によって樹幹内の低質材部と優良材部を分ける考え方がある。両者を区分する指標として密度が多く使われる。例えば，ニュージーランドのラジアータパインでは，年輪内密度の放射方向変動を考慮して，10年輪までをコアウッド(corewood)，その外側をアウターウッド(outerwood)と区分

し，アウターウッドが構造用材として利用可能としている。容積密度数（basic density）で言えば，400 kg/m³ 未満をコアウッドとしている。このような最終用途を見据えた実用的な区分が今後必要とされるであろう。密度に加えてミクロフィブリル傾角による区分も可能である。スギやヒノキでは，仮道管長による未成熟材，成熟材の区分とミクロフィブリル傾角による区分が，胸高部位では一致するが，樹幹上方では異なる。

4.3 あて材

幹が傾斜すると，直立させるために成長応力を発生する調整組織が形成される。これをあて材（reaction wood）という。針葉樹，広葉樹ともに直立させる目的は同じであるが，針葉樹には圧縮あて材が，広葉樹には引張あて材が形成され，異なるメカニズムで直立させようとする。

（1）圧縮あて材（compression wood）

気乾状態の圧縮あて材は同じ密度の正常材に比べて，縦圧縮強さがやや低いほかヤング率，曲げ強度，衝撃強度，引張強度は著しく小さい。圧縮強度に対する引張強度の比が小さいために脆性破壊を生じる。正常材に比べて同じ密度の圧縮あて材がヤング率も強度も小さいのは，ミクロフィブリル傾角が著しく大きいためである。ミクロフィブリル傾角が著しく大きいので，軸方向の収縮率が非常に大きくなる。正常材とあて材が混在すると，狂いや割れの原因になる。

（2）引張あて材（tension wood）

正常材では木部繊維のミクロフィブリル傾角が小さいので，軸方向収縮率は0.1〜0.3％であるが，引張あて材ではG層（ゼラチン層，G-layer）のミクロフィブリル傾角が極めて小さいにもかかわらず，軸方向収縮率が1％以上に達し，狂いや割れの原因になる。これは，リグニンがG層に存在しないこと，および他の層にも比較的少ないことが，引張あて材の寸法変化を大きくしているためと考えられている。また，同じ密度の正常材に比べて，縦圧縮強度は常に小さく，縦引張強度と衝撃強度はやや大きい。引張あて材を乾燥すると落ち込み（collapse）が生じやすく，鉋削りすると毛羽立ち，鋸断すると収縮する。

4.4 その他の欠点

（1）節（knot）

樹幹の木部内にある枝の基部のこと。

1) 生節（live knot）：生枝から生じた節で幹の成長輪と連続している
2) 死節（dead knot）：枯枝から生じた節で幹の成長輪と不連続である
3) 抜節（loose knot）：抜けやすい節，抜けて節穴をなしているもの
4) 腐節（decayed knot）：腐れている節

(2) もめ（compression failure）

立木のとき，成長応力や風圧力によって樹幹軸方向に大きな圧縮応力が加わるために，樹幹軸にほぼ直角に現れるしわのような座屈線をもめという。成長応力によるもめの多くは樹幹の中心部近くに存在し，木材の強度を低下させる。特に熱帯産材にみられ，圧縮強度に及ぼす影響は小さいが，引張強度と衝撃強度への影響は大きい。風圧力によるもめは折損木や曲がり木の風下側に見られる。

(3) ぬか目（brash wood）

異常に狭い成長輪を有する広葉樹環孔材の肌目のこと。大径の孔圏道管が大部分を占めるため，密度が低く釘や木ねじの保持力がほとんどない。

(4) 目回り（ring shake）

成長輪界，ときには成長輪内において，幹の周囲方向に生じる裂け（割れ）のこと。風による幹の振動が引き金になるとされているが，成長応力により樹幹内に発生する放射方向の引張応力が基本的な原因と考えられる。

(5) 脆心材（brittle heart）

丸太の中心部に見られる欠点で，強靱性に欠ける脆弱な木部のこと。正常材のように光沢がなく，もめが多数存在し，強度が低い。特に衝撃強度が低い。脆心材ができる原因は肥大成長に伴って成長応力が長期間累積し，樹心部が圧縮破壊するためと考えられている。

(6) 入り皮（bark pocket）

材中に存在する樹皮のこと。特に外観が見苦しいものを"さるばみ"と言う。二股に分かれた樹幹の基部に形成される。また，形成層が傷害を受けて死ぬと，まわりの組織によって新しい形成層が樹皮の上に形成され，樹皮が木部内に埋まって形成される。

(7) 霜割れ，凍裂（frost crack）

霜割れは立木の髄近くの木部からその外方の樹皮にわたって，放射方向に生

じる樹幹方向の裂けである。寒地に成育する樹木に生じ，この原因は心材の水分状態と樹幹内部の欠点(割れ目など)にあるとされる。すなわち，心材が高含水率状態で既に内部欠点が木材中に存在するとき，樹幹が低気温にさらされるとその心材水分は割れ目中で凍結し，膨圧が発生する。その結果，割れ目は心材中で拡大し，さらには樹皮側へ発達し，ついには樹幹表面にまで達する。樹幹中への気温の伝わり方はかなり穏やかなので，一時的に気温が急激に低下しても直ちに樹幹内部が凍結するとは考えにくい。むしろ，それほど低くなくても0℃以下の低温が長く続くことの方が凍裂を発生させる。

(8) 水食材(wetwood)

生材含水率が部分的に異常に高い心材部のこと。トドマツに多い。

●引用文献

1) 渡辺治人："木材理学総論"，農林出版，34 (1978)
2) 森林総合研究所編："森林大百科事典"，朝倉書店，420-421 (2009)

❖ 一口メモ ❖

古代にも見られた伐採による森林破壊

　古代エジプトやメソポタミアに文明が栄えたころ，エジプトやヨーロッパとの交易によって繁栄したフェニキア人は，マツ科の針葉樹で，芳香を持ち，腐りにくいレバノン杉を珍重して，建材，船材として盛んに用いた。また，エジプトのファラオたちは，このレバノン杉を聖なる神木としてあがめ，宮殿などの建築物から，棺にいたるまで，大量のレバノン杉を用いたことが知られている。しかし，レバノン杉は成長が遅く，その生育地が地中海性の乾燥気候であるため，失われた植生の回復は困難で，現在絶滅の危機に瀕している。人類による環境破壊の歴史は，文明の歴史と同様に古くからあることが判るが，同様の過ちを何度も繰り返すことがないようにしたいものである。

第5節　化学組成

5.1　元素組成[1-4]

　木材を構成する元素は，C（50％），H（6％），O（43％）の3元素で99％に達し，タンパク質やアミノ酸に由来するNの含有量は0.5％以下と微量である。その他に無機成分（mineral content：灰分）として，Ca，K，Na，Mg，Fe，Mn，Cu，Co，P，Siなど多種の微量元素が存在し，その含有量は0.3〜1％程度とされる。C，H，Oの元素組成は樹種間でほぼ一定しているが，灰分の含有量とその成分組成は個体，部位（心辺材，枝，樹皮，早晩材など），生育環境，伐採時期などにより大きく変動する。一般に心材には辺材よりも多く灰分が含まれ，晩材は早材より少なく，幹材は枝材より少ない。特に，樹皮の灰分は木部に比べ数倍〜数十倍も多い。なお，Ca，Mg，Kの3元素で灰分の80％以上を占め，CaとMgは放射柔細胞に多く分布する傾向がある。熱帯産材の灰分量は国産材よりも相対的に多く，炭酸カルシウムの異常沈着がみられる樹種もある。

5.2　化学組成

　木材は主にセルロース（cellulose），ヘミセルロース（hemicellulose），リグニン（lignin）から構成される。これら主要3成分は細胞壁の骨格を成すものであり，樹体を構成する化学成分の約95％を占める。針葉樹と広葉樹ではセルロース含有量がともに40〜50％程度であり，化学構造の差異もほとんど認められない。一方，ヘミセルロースとリグニンは針葉樹と広葉樹の間で量と質が異なる。ヘミセルロースの含有量は針葉樹で約20％，広葉樹で15〜35％であり，針葉樹にはグルコマンナン（glucomannan）が多く，広葉樹にはキシラン（xylan）が多い。リグニンは針葉樹で25〜35％，広葉樹で17〜25％含まれる。[5]

　上記の主要3成分以外の副成分として，抽出成分（extractive）がある。抽出成分の含有量は一般に2〜5％程度と量的には少ないが，化合物の種類は樹種により多岐にわたるため材色，耐朽性，におい，接着性，薬効など，材の性質を決定する重要な因子となる。[1]抽出成分の一部は細胞壁に沈積するが，多くは細胞内腔や細胞間隙などの特殊な組織に存在し，直接あるいは間接的に樹木の生理作用に関係する。また，心材の形成に伴い蓄積が進行するため，心材と辺

材では含有量に顕著な相違が生じる。

　木材を微視的にみると，細胞壁は複数の層に分けられ，化学成分は不均一に分布する。細胞間層と一次壁ではリグニン濃度が高く，セルロース濃度は低い。二次壁ではセルロース濃度が高くなり，二次壁中層(S_2層)で最大となる。リグニン濃度は細胞間層から細胞内腔へ向かうに従い減少するが，二次壁内層(S_3層)で増加する場合がある。

5.3　セルロース

　セルロース(cellulose)は地球上で最も豊富に存在する有機物であり，その大半は高等植物において細胞壁に物理的強度を付与する構造多糖として存在する。毎年2000億トン程度のセルロースが光合成により生産されており，そのうち約70％が地上，約30％が海中に由来する。[6]綿花，麻，竹，コケ植物，藻類などにも存在するが，最大のセルロース源は木材である。また，バクテリアや海洋動物のホヤ類にもセルロースの存在が知られている。

　セルロースは$_D$-グルコースがβ-1,4グリコシド結合した直鎖状のホモポリマーであり，その起源に因らず元素組成は$(C_6H_{10}O_5)_n$で示される。木材における天然セルロースの平均重合度は9000～10000程度とされるが，単離操作や測定方法により重合度の値は大きく変動し，木材パルプでは1500～2000程度と低くなる。[4,6]

　木材細胞壁内ではセルロース分子鎖が何本か束になり，セルロースミクロフィブリル(cellulose microfibril)という構造を形成する。セルロースミクロフィブリルの存在様式は壁層により異なり，一次壁では間隔を空けて疎に存在し網目状構造をとるが，二次壁では密に存在しほぼ平行に配向する。この配向方向の細胞の長軸に対する傾斜角(ミクロフィブリル傾角)が，二次壁中のS_1，S_2，S_3の各層で異なる。ミクロフィブリル傾角は木材の性質を左右する重要な指標であり，特にS_2層は細胞壁の80％以上を占めるため，細胞壁の機能や力学的な性能に大きく関与する。[7]また，セルロースミクロフィブリルには，セルロースI_αとI_βの2つの結晶相が存在している。

5.4　ヘミセルロース

　細胞壁から熱水やシュウ酸アンモニウムなどでは抽出されず，水酸化ナトリウムや水酸化カリウムなどのアルカリ水溶液により抽出される多糖類を総じて

ヘミセルロース(hemicellulose)と呼ぶ。細胞壁内ではセルロースと水素結合により会合し、リグニンとは化学結合して存在する。ヘミセルロースはセルロースと同様に多糖類であるが、平均重合度は100～200程度と小さく、構成糖はグルコースだけでなくキシロース、アラビノース、ガラクトース、マンノース、グルクロン酸など多様である[4]。

ヘミセルロースの組成は針葉樹と広葉樹で顕著な相違がみられる。針葉樹のヘミセルロースは主にガラクトグルコマンナン(10～18%)とアラビノグルクロノキシラン(5～10%)からなり、広葉樹ではグルクロノキシラン(20～35%)と少量のグルコマンナン(3～5%)から構成される[2,8]。針葉樹の圧縮あて材にはガラクタンが多量に存在し、含有量が15%を超える場合もある。

木材細胞壁内でのヘミセルロース分布は樹種や部位により異なる。広葉樹において道管周辺でグルクロノキシラン、木部繊維付近ではグルコマンナンが多く存在する傾向がある。また、一次壁では樹種を問わずキシログルカンが広く分布し、二次壁についてはブナでキシラン、ポプラやヒノキではグルコマンナンが特異的に分布している[2,3]。

5.5 リグニン

リグニン(lignin)はp-ヒドロキシフェニルプロパン単位(C_6-C_3)を単量体単位とした高分子であり、細胞壁中で複雑な三次元網目状構造をとる。形成層で作られた初期の細胞にはリグニンが含まれず、肥大成熟過程においてセルロースミクロフィブリル間隙にリグニンが充填されることで木化(lignification)が進行する。リグニンの機能としては、組織の物理的性質の向上、水分散逸の防止、生体防御など様々である。

リグニンは、p-ヒドロキシフェニル核(H核)、H核の芳香核水酸基のオルト位にメトキシル基(OCH_3)を1つ持つグアイアシル核(G核)、両オルト位にメトキシル基を2つ持つシリンギル核(S核)の3種類の基本単位で形成される。針葉樹リグニンの芳香核は主にG核、広葉樹リグニンはG核とS核の両者からなる[5]。

リグニンの含有量や芳香核構造は、細胞の種類や存在部位により顕著な違いがみられる。H核は針葉樹、広葉樹どちらのリグニンにも存在することが知られているが、量的には限定的なものであると考えられる。広葉樹の木部繊維二

次壁はS核，木部繊維細胞間層や道管にはG核が多く含まれる。針葉樹の仮道
管二次壁はG核に富む。リグニン濃度は分析方法により変動するが，一般に二
次壁で低く(2〜25％)，細胞間層で高い(50〜100％)[9]。また，道管や柔細胞は木
部繊維に比べてリグニン濃度が高いとされる。

5.6　抽出成分

　抽出成分(extractive)とは，木材をベンゼン，エーテル，アルコール，アセ
トン，水などの中性溶媒で抽出することで得られる化合物の総称である。木材
の抽出成分含有量は一般的に少ないが，熱帯産材の銘木として知られるシタン
やコクタンのように30％を超える樹種も存在する[6]。また，同一樹種でも遺伝
的系統，樹齢，生育環境などにより含有量が著しく変動する場合が多くみられ，
樹体内では水平方向，垂直方向で含有量が異なり不均一に分布する[1]。

　代表的な抽出成分にはフェノール酸類，リグナン類，テルペノイド，タンニ
ン類，フラボノイド，スチルベノイド，キノン類，キサントン類，クマリン類，
クロモン類，トロポロン類，アズレン類，ステロイドなどがあり，天然有機化
合物のほぼ全領域にわたる[1,10]。このように抽出成分として非常に多くの化合物が
検出されているが，樹体内での生理的存在意義はほとんどが未解明である。

　抽出成分には抗菌性，殺虫性，抗蟻性，抗ガン性など様々な生理活性を持つ
ものが存在し，テルペン類を含む精油はアロマテラピーにも利用されている[3]。
しかし，木材を利用する上で健康阻害，金属の腐食，接着阻害，塗装阻害，変
色，セメント硬化阻害，パルプの蒸解阻害など不利益となる場合もある[1,10]。なお，
抽出成分の存在は木材の吸湿性，通気性，膨潤収縮率，破壊強度，音響・振動
特性など物理的性質にも寄与する[1,3]。

●引用文献

1) 右田伸彦ほか編：“木材化学(上)”，共立出版，65-80，434-494 (1968)
2) 日本木材学会編：“木質の化学”，文永堂出版，2-4，123-156 (2010)
3) 福島和彦ほか編：“木質の形成(第2版)”，海青社，239-245，403-472 (2011)
4) R. M. Rowell ed.：“Handbook of Wood Chemistry and Wood Composites”，
　 Taylor & Francis，35-74 (2005)
5) G. Tsoumis：“Science and Technology of Wood”，Van Nostrand Reinhold，34-
　 56 (1991)

6) 森林総合研究所監修：“木材工業ハンドブック（改訂4版）”，丸善，138-170 (2004)

7) 日本木材学会編：“木質の構造”，文永堂出版，155-179 (2011)

8) D. N. S. Hon, N. Shiraishi eds.：“Wood and Cellulosic Chemistry”, Marcel Dekker, 59-88 (1990)

9) S. Y. Lin, C. W. Dence eds.：“Methods in Lignin Chemistry”, Springer-Verlag, 59-88 (1992)

10) 今村博之ほか編：“木材利用の化学”，共立出版，76-104 (1983)

✥ 一口メモ ✥

木材の調湿機能

　木材は高い吸湿能を持つため，室内のように限られた空間で使用されると，その空間の湿度を安定させる機能を持っている。空間中に含むことのできる水分量は，その温度での飽和蒸気圧によって決まる。$1\,m^3$ の空間中におけるその値は，$10℃$ で $9.4\,g$，$20℃$ で $17.3\,g$，$30℃$ では $30.4\,g$ である。これに対して，厚さ$5\,mm$，面積$1\,m^2$ の木材は，1％の含水率変化に対して，密度が $0.4\,g/cm^3$ の材では $20\,g$，$0.6\,g/m^3$ では $30\,g$ もの水分を吸・放湿できる。したがって，木材はわずかな含水率変化で，木材で囲まれた空間の湿度を安定させることができる。

第2章　木材の物理的性質

第1節　密　　度

木材の密度は，その強度特性，乾燥特性，寸法安定性(膨潤・収縮特性)，耐摩耗性，熱伝導性など，様々な物理的性質と密接に関わっている。これは，木材の密度が木材中に占める木材実質の割合を反映していることに起因している。木材の密度から，その物理的性質を正確に推定することはできないが，ある程度の目安となることから，密度を知ることは，木材を利用する上で極めて有益である。本節では，木材について用いられる様々な種類の密度について述べるとともに，樹種や個体差，樹体内の部位等の違いによる密度の変動についても概説する。

1.1　密度と比重

物体の密度(density)は物体の単位体積当たりの質量で定義される。現在世界的に標準となっている国際単位系(SI)において，密度の単位はkg/m^3とされているが，一般にはg/cm^3を用いることが多い。一方，従来から木材分野に限らず，材料分野において密度と同じ意味を持つ物理量として比重(specific gravity)が用いられてきた。物体の比重は，1気圧(1013.25 hPa)における純水の密度に対するその物体の密度の比で定義される。密度には単位が存在するのに対して，比重は比であり単位のない無次元数である。基準とされることが多い$4℃$における水の密度は$0.999973 g/cm^3$であり，厳密には密度の数値と比重の数値は一致しないが，実用的には，水の密度を$1 g/cm^3$と見なし，比重と密度を同じ値として取り扱ってかまわない。

比重は水の密度を基準とした値であり，その値が1を超えるか下回るかは，

その物体が水に浮くか沈むかを示しており、実用的にイメージしやすい物理量である。また、採用する単位系に関わらず、値が変わらないことも比重の便利な点である。しかし、科学技術の分野では、世界的にSI単位が基本となっていること、また物体の密度を示す際に水を指標として基準化する必然性に乏しいことから、現在では密度を用いるのが一般的である。

一般に、物体の密度には、基準とする物体の単位体積をどのように定義するかによって「真密度」、「見かけ密度」、「かさ密度」等、異なる密度が存在する。このうち、真密度は内部空隙や細孔を除いて物質自身が占める体積だけを基準とした密度、見かけ密度は内部空隙を物質自身の体積に含めて算出した密度、かさ密度は物体の外部体積を基準とし、内部空隙や細孔を体積に含めて算出した密度である。

1.2 木材の密度

木材の密度は、通常は密度測定用に正確に立方体あるいは直方体に切り出された試料の質量を外部体積で除することにより求められる。このとき、木材内部には細胞構造に由来する無数の空隙が存在するとともに、試料表面にこれら空隙の断面が現れる。すなわち、外部体積には内部空隙および表面に現れている空隙が含まれているため、このようにして求められる木材の密度は見かけ密度ではなく、かさ密度と考えるべきである。

木材は吸湿性の材料であり、含水率の増加により質量だけでなく、外部体積も増大する(図2-1)ため、密度を算出する際、どのような水分状態での質量、体積を用いて算出するかによって、その値は大きく異なる。木材の分野で、単に「密度」と呼ぶ場合、気乾状態、すなわち通常の大気中に長時間放置した時の木材の密度を示す。これを気乾密度(air-dry density, density of air-dried wood)と呼ぶ。一方、全乾状態、すなわち100〜105℃の雰囲気下で質量が変化しなくなるまで木材を乾燥し、水分をほとんど含まない状態で測定した密度を全乾密度(oven-dry density,

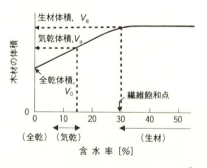

図2-1 木材の含水率と外部体積との関係

第1節 密 度　　　　37

表2-1　木材の全乾密度，全乾・気乾（含水率15%）状態における空隙率[2,3]および他材料の密度[4]

樹　　　種	全乾密度 (g/cm^3)	空隙率(%)		材　　　料	密　　度 (g/cm^3)
		全　　乾	気　　乾		
ス　　　　　ギ	0.35	76.7	73.6	羊　　　　毛	1.28～1.33
ヒ　ノ　キ	0.38	75.3	71.4	絹	1.30～1.37
カ　ラ　マ　ツ	0.54	64.0	59.8	コンクリート	2.40
キ　　　　リ	0.26	82.7	80.0	ガ　ラ　ス	2.2～3.6
ブ　　　　ナ	0.51	66.0	62.2	アルコール	0.79
シ　ラ　カ　シ	0.79	47.3	43.3	石　　　油	0.80～0.98
バ　ル　サ	0.10	93.4	92.2	金	19.30
リグナムバイタ	1.31	12.7	11.3	鉄	7.86

density of oven-dried wood）という。気乾密度r_aおよび全乾密度r_0は次式により求められる。

$$r_a = \frac{W_a}{V_a} \tag{2-1}$$

$$r_0 = \frac{W_0}{V_0} \tag{2-2}$$

　ここで，W_aおよびV_aは，それぞれ気乾状態における質量および外部体積，W_0およびV_0は，それぞれ全乾状態における質量および外部体積である。**表2-1**に代表的な木材の全乾密度を示した。世界で最も軽い木材であるバルサの全乾密度の平均値が$0.1\,g/cm^3$であるのに対して，最も重い木材であるリグナムバイタの場合$1.31\,g/cm^3$であり，樹種による密度の差は極めて大きい。このうち，広葉樹の密度範囲は$0.1～1.3\,g/cm^3$と非常に広いのに対して，針葉樹の場合，$0.3～0.6\,g/cm^3$の範囲に収まっている。なお，日本で最も代表的な樹種であるスギの全乾密度の平均値は$0.35\,g/cm^3$である。

　生材状態，すなわち立木を伐採したばかりの状態で材内に液体状態の水を多く含んでいる状態での密度を生材密度（density of green wood）という。**図2-1**に示す通り，木材の外部体積は生材状態から繊維飽和点（FSP：fiber saturation point）に至るまで含水率に関わらず一定であるが，質量は木材の内腔に含まれる自由水（液体状態の水）の量によって大きく変化するため，生材密度は木材の輸送や乾燥における水分量の目安として使用されることはあるが，材の性質を表す数値としては適当ではない。

一方，全乾状態の質量 W_0 を生材状態の外部寸法 V_g で除した値を容積密度（basic density, Raumdichte）R と呼ぶ。容積密度は，生材状態にある木材の単位体積に占める実質量を表す値であり，含水率に関わらず質量および外部体積が定まった値を示す。容積密度の単位は g/cm^3 であるが，これを kg/m^3 の単位で表したものを容積密度数（bulk density, Raumdichtezahl）と呼び，造林分野において立木の実質成長量を表すのに用いられている。

$$R = \frac{W_0}{V_g} \tag{2-3}$$

1.3 真比重（真密度，木材実質密度）

木材において，全乾状態における細胞壁を構成する木材実質の密度は真比重（specific gravity of wood substance）と呼ばれてきた。SI単位の普及によって，比重として表記されてきたものの多くが密度に置き換えられたが，木材の場合，真密度（real density, true density）よりも真比重がそのまま使われることが多い。なお，真比重を密度に置き換えた表記として，森林総合研究所監修「木材工業ハンドブック（改訂4版）」では，木材実質密度が用いられている[5]。

全乾状態における質量を W_0，空隙を除いた木材実質の体積を V_s とすると，木材の真比重 r_s は次式により得られる。

$$r_s = \frac{W_0}{V_s} \tag{2-4}$$

木材実質，すなわち木材の細胞壁を構成する主要な化学成分は，セルロース（組成比約50％），ヘミセルロース（同20〜30％），リグニン（同30〜20％）であり，これらの密度はそれぞれ1.55，1.50，1.30〜1.40 g/cm^3 程度とされている。これらの値から，木材実質の密度は1.46〜1.50 g/cm^3 程度であると推測できる。木材実質の体積測定に用いる置換媒体の種類によって，木材中の微細空隙への侵入程度や木材実質と置換媒体の結合関係に差があり，得られる密度の値も多少異なる。スプルースの密度として，ヘリウム置換1.46 g/cm^3，水置換1.53 g/cm^3，ベンゼン置換1.44 g/cm^3 が報告されている[6]。一方，樹種の違いによる密度の違いはほとんど認められない。木材の真比重の値として，ヘリウム置換による値が妥当であると考えられているが，木材の真比重の値として一般には1.50 g/cm^3 が用いられている。

1.4 空隙率

木材には，細胞内腔，細胞間隙，壁孔などの空隙が存在する。木材の外部体積に占める空隙の体積割合を空隙率(void volume, pore volume)という。木材の空隙率は含水率の増減によって変化する。これは，木材実質の体積が吸湿によって増大する(膨潤する)ことに起因する。

全乾状態における木材の空隙率 C は，木材の全乾密度を r_0，真比重を r_s とすると，次式により求められる。

$$C = 100 - m = \left(1 - \frac{r_0}{r_s}\right) \times 100 \quad [\%] \tag{2-5}$$

ここで，m は木材の実質率(solid volume)といい，木材の外部体積に占める木材実質の体積割合を示す。前述のとおり，木材の真比重にはその測定方法によって幅があるが，木材の空隙率を算出する際には，一般的に $r_s = 1.50\,\text{g/cm}^3$ の値が用いられる。**表2-1** に示すように，木材の空隙率は密度が大きくなるほど小さくなり，その値は全乾状態において93%(バルサ)～13%(リグナムバイタ)と差が極めて大きい。なお，スギの空隙率は74%であるが，スギに限らず我が国において広く利用されている樹種の多くが空隙率50%以上であり，木材の外部体積の半分以上が空気で占められている。

1.5 樹幹内における木材密度の変動

木材の密度は，大きくは樹種ごとに特有の値を示すが，同一樹種でも遺伝的な形質(遺伝的要因)や生育する立地や気候(環境的要因)の影響を受ける。このことによって，同一樹種であっても，個体間で木材の密度は変動する。一方，同一個体においても，樹幹内の部位によって木材の密度は変動する。ここでは，樹幹内における木材密度の変動について代表的なものを説明する。

(1) 半径方向(樹幹放射方向)での変動

樹心から外周に向かっての半径方向での密度の変動は，① 樹心部で低く，外周に向かって増加し，その後安定するもの(アカマツ，カラマツ，センダンなど多くの樹種)，② 樹心部で高く，外周に向かって低下し，その後安定するもの(スギ，ヒノキなど)，③ 樹心部から外周に向かってほぼ一定の値をとるもの(ユリノキなど)に分類できる。[7]

(2) 樹高方向での変動

樹根部から樹頂部に向かっての高さ方向での密度の変動は，① 減少するもの，② 減少した後，梢端で再び増加するもの，③ 増加するもの（多くの広葉樹）に分類されるが，生育条件の影響を受けることから複雑である。

(3) 年輪内での変動

年輪内での密度は，早材部よりも晩材部のほうが大きいが，その変動様式は樹種によって特徴が認められる。針葉樹における晩材部の密度は早材部の1.3〜3.1倍であるが，この中でも早材部から晩材部への移行が急なカラマツ，スギでは両者の比は大きく，移行が緩やかなヒノキ，トドマツでは比は小さい。また，広葉樹では環孔材で1.6〜2.8倍，散孔材で1.2〜1.9倍であり，散孔材は針葉樹や広葉樹の環孔材に比べて年輪内での密度変動は小さい。

(4) 晩材率および年輪幅が密度に及ぼす影響

木材の密度は，木材の外部体積に占める晩材の体積の割合である晩材率（latewood percentage）の増加にしたがって，針葉樹ではほぼ直線的に，広葉樹では直線的あるいは飽和曲線的に増大する。また，晩材率と年輪幅との間には負の相関関係が存在することが多い。針葉樹では，極端に年輪幅が狭い場合密度が低下するものもあるが，通常の場合，年輪幅の増加にしたがって密度は低下し，その後ほぼ一定となる（図2-2）。それに対して，広葉樹環孔材では，年輪幅に関わらず早材部の孔圏部（直径が大きな道管が1〜3列並んだ部分）の幅がほぼ一定であるため，年輪幅が広いほど晩材率は高くなり，その結果，密度は大きくなる。逆に，成長が極めて遅い環孔材では，孔圏部が大部分を占めるため，ぬか目と呼ばれる極端に密度が低く，釘や木ねじの保持力がほとんどない材が出現する。一方，散孔材では直径が同程度の道管が年輪内にほぼ均一に分布しているため，密度分布が一定の傾向を示さないことが多い。

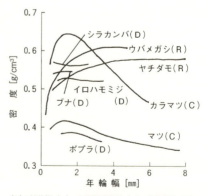

(C)：針葉樹　(R)：広葉樹環孔材　(D)：広葉樹散孔材

図2-2　様々な樹種の年輪幅と密度の関係

●引用文献

1) 高橋徹, 中山義雄編 : "木材科学講座3 物理(第2版)", 海青社, 28, 30 (1995)
2) D. Fengel: "The ultrastructure of cellulose from wood Part 1: Wood as the basic material for the isolation of cellulose", *Wood Sci. Technol.*, **3**, 203-217 (1969)
3) 越島哲夫ほか編 : "新訂基礎木材工学", フタバ書店, 55-61 (1979)
4) 国立天文台編 : "理科年表 平成29年", 丸善, 386 (2016)
5) 森林総合研究所監修 : "木材工業ハンドブック(改訂4版)", 丸善, 112-113 (2004)
6) F. F. P. Kollmann, W. A. Côté : "Principles of Wood Science and Technology I", Springer-Verlag, 160-179 (1968)
7) 日本木材学会編 : "木質の物理", 文永堂出版, 9-10 (2007)
8) 田島俊雄 : "林木の生長と材質の変動", 木材学会誌, **17**, 423-430 (1971)
9) A. J. Panshin *et al.* : "Textbook of wood technology. Vol. 1, Structure, identification, uses, and properties of the commercial woods of the United States", MacGraw-Hill, 215-217 (1964)

❖一口メモ❖

木材の含水率

　木材の含水率は, 多くの場合に用いられる物質の含有率のように, 全体に占めるその物質の割合として求められる量とは異なり, 木材の乾燥重量に対する含有水分量の割合をいう。このため, 木材の含水率が100％を超えることもしばしば起こる。試みに, 世界で最も高密度とされるリグナムバイタ(平均的な全乾密度:1.31 g/cm³), 最も低密度なバルサ(0.10 g/cm³), および国産の代用的な針葉樹材であるヒノキ(0.38 g/cm³)について, 水で完全に飽和した木材の含水率, すなわち最大含水率を(2-9)式によって概算すると, バルサ:960％, リグナムバイタ:38％, ヒノキ:224％となる。したがって, 伐採直後のヒノキやスギ(平均的な密度はヒノキより少し低い)の含水率が100％を超えることは決して珍しくない。

第2節　木材と水

2.1 含有水分量

木材は，植物繊維，動物繊維，皮革など他の生物材料と同様に水分と親和性を有しており，周囲の温湿度に応じて水分を出し入れする性質，すなわち，吸・放湿性を有している。木材が含有する水分量は含水率（U：moisture content）として次のように定義される。

$$U = \frac{W_U - W_0}{W_0} \times 100 \quad [\%] \quad (2\text{-}8)$$

ここで，W_Uは含水率Uの時の木材の質量，W_0は全乾時の木材の質量。したがって，この式の分子は木材中の水分の質量である。また，分母は木材の全乾質量であることから，表示される含水率は乾量基準含水率とよばれる。一方，木材であっても，チップやペレット等のパルプ用材や燃料用材では，分母をW_Uとし湿量基準で含水率が表示される場合がある。

含水率の標準的な測定方法は全乾法で，JIS Z 2101：2009では木材を103 ± 2℃で恒量になるまで乾燥させ，乾燥前後の質量を(2-8)式に代入して計算するが，製材工場等では含水率計による測定が一般的である。

図2-3に示すように木材は含有する水分量によっていくつかの状態に区分される。(1)全乾状態（oven-dry condition）：$100 \sim 105$℃で恒量になるまで乾燥させ水分をほとんど含んでいない状態。(2)気乾状態（air-dry condition）：通常

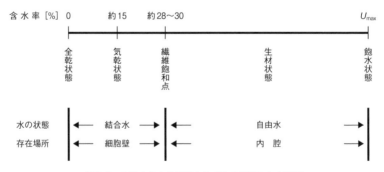

図2-3　木材中の水分状態および水の状態と存在場所

の大気の温湿度と平衡した水分を含む状態で,この時の含水率を気乾含水率(moisture content in air dry)という。日本の気候下では平均15%,欧米では12%である。(3)繊維飽和点(fiber saturation point, FSP):細胞壁が結合水で満たされ,細胞内腔に自由水が存在しない状態。この時の含水率は樹種,個体差,抽出成分等で異なるが,平均して28%〜30%の範囲にあるとされている。(4)生材状態(green condition):立木または伐採直後の状態で,自由水を含んでいる。この時の含水率を生材含水率(moisture content in green)という。(5)飽水状態(water saturated condition):完全に水分で飽和された状態。その時の含水率を飽水含水率または最大含水率(maximum moisture content)U_{max}とよび,木材の全乾密度r_0 [g/cm³]と真密度(木材実質密度=1.50 g/cm³)から次式により算出される。

$$U_{max} = 28 + \frac{1.50 - r_0}{1.50 r_0} \times 100 \quad [\%] \quad (2\text{-}9)$$

また,繊維飽和点以下において,その周囲の温度および相対湿度(relative humidity:RH)と,水分の出入りに関し平衡な状態に達した時の含水率を平衡含水率(equilibrium moisture content)と呼ぶ。この関係を**図 2-4** に示す。日本における室内の温湿度を概ね10〜30℃,35〜80%RHとすると,**図 2-4** より木材の含水率は約7.0〜16.0%の範囲を移動することになり,温湿度の日変化等を考慮すると室内の気乾含水率は12±4%程度となる。

木材の多くの物理的・力

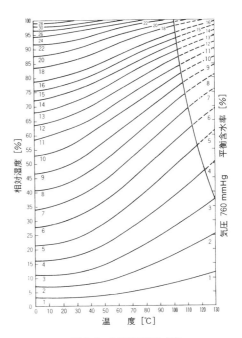

図 2-4　木材の平衡含水率

学的性質は，繊維飽和点以下の含水率により数値が変動することから，材質比較を行う際には，標準含水率（法正含水率normal moisture content, standard moisture content）である12%にあらかじめ調湿することが重要である。

2.2 含有水分の存在形態

(1) 水

水分子H—O—Hの結合角は104.5°で，2つの水素原子は酸素原子を中央に置く正四面体の2稜を占める二等辺三角形のような分子構造であり，水素原子がプロトン化し正電荷を持ち，酸素原子は電気陰性度が高いので強い双極子能率を持っている。なお，正四面体の他の残り2稜の方向には酸素原子の孤立電子対が向いており，水分子は水素結合に関して4本の結合手を有していることになる。

水蒸気や液体の水では，水分子の酸素原子と他の水分子の水素原子が水素結合し会合状態となる。この時の水素結合の強さは20〜35 kJ/mol程度で，イオン結合や共有結合に比べると結合力ははるかに小さい。

(2) 木　　材

木材を構成しているセルロースは，結晶領域（micelle）と非晶領域（ミセル間隙，amorphous）に分けられるが，水分子は非晶領域に入り込むことが可能で，水酸基等の親水性基に吸着する。また，ヘミセルロースやリグニン等に存在する親水性基にも吸着する。この吸着点の存在する表面を内部表面という。

(3) 木材中の水

木材中の水は，細胞壁内に存在する結合水（bound water）と細胞内腔などの永久空隙（permanent capillary or permanent void）内に存在する自由水（free water）とに分けられる。

結合水は，繊維飽和点以下の含水率領域から存在し，含水率5〜6%以下では，水は木材の内部表面と水素結合やファンデルワールス力（van der Waals force）で結合して単分子層吸着水（monomoleculary adsorbed water）として，より含水率が高くなると，単分子層吸着水の表面上に多分子層吸着水（polymoleculary adsorbed water）として保持される。これら吸着水は木材実質との間に直接・間接的な結合関係を持ち，その増減は木材の物理的・力学的性質に著しい影響を与える。さらに含水率が増加し繊維飽和点以上になると，細

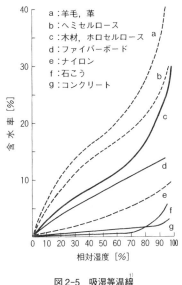
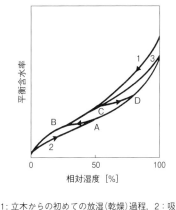

図2-5 吸湿等温線[1]

1：立木からの初めての放湿(乾燥)過程，2：吸湿過程，3：2に続く放湿過程，A→B：吸湿過程の途中から脱湿させた場合の挙動，C→D：脱湿過程の途中から吸湿させた場合の挙動

図2-6 木材の吸・放湿ヒステリシス曲線[2]

胞内腔などのマクロな空隙において毛管凝縮によって保持される自由水が現れる。自由水は，木材実質とは結合関係を持たないため，その増減は，木材の質量や熱，電気に関する性質に影響を及ぼす程度であり，その他の物性にはほとんど影響を与えない。

2.3 水分吸着

一定の温度下における相対湿度と木材の平衡含水率の関係，すなわち吸湿等温線(hygroscopic isotherm)は，一般にS字形曲線(sigmoid curve)を描き図2-5のようになる。図のように，木材は，革，羊毛など他の生物材料と同様に，非生物材料であるコンクリートや石膏等の鉱物材料や，プラスチックなどの化石資源由来の材料に比べて吸湿性は高く，同一の相対湿度下で比較すると，より多くの水分を保有することができる。

吸着水の量は温度の上昇に伴って減少することから，吸湿等温線も温度により変化する。200℃程度の熱処理や乾湿繰り返し処理が施された木材では，吸着点の減少等に伴い，無処理木材よりも吸湿等温線は低くなる。

また，木材が水分を吸湿(moisture adsorption)または放湿(moisture desorp-

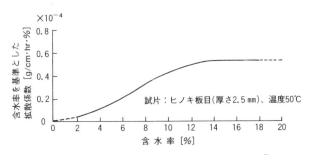

図2-7 含水率を基準とした拡散係数と含水率の関係[3]

tion)する際，**図2-6**のように吸湿過程よりも放湿過程の方が高い含水率を示す。この現象を水分吸着のヒステリシス(hysteresis)と呼ぶ。一定温度のもとでの湿度変化に対応して，乾燥過程(図中の曲線1)も放湿過程(図中の曲線2)もこのループ上をたどる。吸湿または放湿過程の途中で，逆に放湿または吸湿させると，それぞれ，**図2-6**内のA→BまたはC→Dを通って含水率が変化する。なお，温度が高くなると，ヒステリシスループが狭くなること，すなわち，吸湿等温線と放湿等温線の差が小さくなることが知られている。

2.4 水分拡散

　繊維飽和点以下の木材中の水分の移動は，拡散(diffusion)現象であり，定常状態(steady state)と非定常状態(unsteady state)とに区別して表現できる。定常状態の水分拡散の場合，拡散係数をD，水分濃度をc，拡散方向の距離をx，時間をt，単位面積あたりの水分通過量をmとすると，等温状態においては，フィック(Fick)の第1法則より，次式が成り立つ。

$$dm/dt = -D \cdot dc/dx \quad (2\text{-}10)$$

　木材中の水分拡散を取り扱う場合，(2-10)式の濃度勾配の代わりに含水率勾配や水蒸気圧勾配を用いることが多い。拡散係数は樹種や密度など拡散通路に関係する因子の影響を受け，温度や含水率にも影響される(**図2-7**)。

　非定常状態における木材中の水分分布は，拡散係数が定数のとき，フィックの第2法則より

$$dc/dt = D \cdot d^2c/dx^2 \quad (2\text{-}11)$$

第2節　木材と水　　47

この微分方程式を解き，材中の最大含水率を U_c として平均含水率 U_m を求めると，

$$U_m = U_e + 2(U_c - U_e)\{\exp[-D(\pi/l)^2 t]\}/\pi \qquad (2\text{-}12)$$

ここに，U_e は境界条件としての板表面の含水率，l は試験体の長さである。

D の値は $10^{-6} \sim 10^{-4} \mathrm{cm}^2/\mathrm{s}$ の範囲にあり，細胞壁の形態，壁孔，放射組織などの影響を受け，その異方性は，$D_L/D_{R,T} = 1.8 \sim 6.0$，$D_R/D_T = 1.2 \sim 2.0$ 程度とされている。なお，下付添え字 L, R, T はそれぞれ繊維方向，半径方向，接線方向を表す。

2.5　液体透過性

液体や気体が物体内に入る現象を浸透(penetration)という。また，物体が流体内にあるとき，物体の相対する2面のうち一方がより高い圧力を受けると，そこにある流体が物体内部を通過してもう一方の側に浸出してくる。この現象を透過(permeation)という。

木材中の水の透過性は，繊維直角方向に比べて繊維方向の方が桁違いに大きい。これは，針葉樹の仮道管や広葉樹の道管，木繊維など木材の大部分の細胞は細長い紡錘形をしており，長軸方向に配列していること，したがって，立木中の木材は元来樹軸方向の水分通導に適した構造をしていることによる。しかしながら，心材化や乾燥によって針葉樹では多くの壁孔が閉塞し，また，一部の広葉樹では心材の道管にチロースが存在して，透過性が阻害される。こうした通導の阻害要因が木材中の流体の透過性に著しい影響を与える。

広葉樹と針葉樹を比較すると，広葉樹の方が最大で10倍ほど液体透過性が高いとされているが，これは，広葉樹では道管にせん孔があり，樹軸方向に極めて液体が透過しやすい構造になっているためである。さらに，道管内部に侵入してきた液体は道管の壁孔を通って横方向に隣接する細胞に入っていく。

一方，針葉樹の木部の9割以上を占める仮道管にはせん孔がなく，細胞の両端は閉じている。しかし，隣接する仮道管との間には有縁壁孔が存在し，これを通って液体は移動することができる。しかしながら，仮道管の有縁壁孔は心材化や乾燥によってその多くが閉鎖する。したがって，仮道管有縁壁孔の閉鎖は針葉樹の液体透過を著しく阻害する。

以下壁孔閉鎖のメカニズムについて簡単に述べる。図2-8に示すように，針葉樹仮道管の有縁壁孔は壁孔壁と壁孔縁とからなり，壁孔壁は盤状のトールス(torus)と網目状のマルゴ(margo)からなっており，流体はこのマルゴの部分を通って移動することができる。木材が乾燥していく過程では壁孔壁の片側にはまだ水が残っているが，

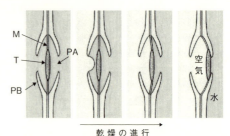

T：トールス，M：マルゴ，PB：壁孔縁，PA：孔口

図2-8　木材乾燥の進行にともなう仮道管有縁壁孔の閉鎖過程(模式図)

もう片側には空気が含まれる状態が生じる。乾燥が進行して，マルゴが空気にさらされると，マルゴの網目の細かさに応じた表面張力が作用し，壁孔壁は壁孔縁の方へ移動し，表面張力がマルゴの剛直性を上回ると，トールスは壁孔縁に密着して，流体の移動は困難となる。ただし，壁孔壁の剛直性が水の表面張力に打ち勝てば，孔口は開孔状態のままで，液相の水は蒸気となってマルゴの隙間から蒸発，移動することができる。

● 引用文献

1) 高橋徹，中山義雄編："木材科学講座3　物理(第2版)"，海青社，34 (1995)
2) J. A. Howsmon, E. Ott eds.: "Cellulose and Cellulose derivatives I", Interscience Publishers, 393 (1947)
3) 林業試験場編："新版　木材工業ハンドブック"，154，丸善 (1973)

第3節 膨潤および収縮

3.1 膨潤・収縮のメカニズム

木材は周囲の温・湿度の変化に応じて，吸湿あるいは放湿すると同時に，寸法も変化し，膨潤(swelling)あるいは収縮(shrinkage)を起こす。こうした木材の膨潤・収縮量は木材の方向によって大きく異なるため，乾燥過程や使用時に割れや狂いを発生させるなど，しばしば利用・加工上の問題となる。

水分による木材の膨潤・収縮は，細胞壁の非晶領域に水分が出入りしてその寸法を変化させることによる。したがって，正常な木材の膨潤・収縮は繊維飽和点以下の含水率域でのみ起こる。ただし，落ち込み(collapse)などの乾燥時の異常収縮は繊維飽和点よりかなり高い含水率域で起こる現象である。

ところで，木材の膨潤・収縮は水だけではなく様々な液体や蒸気によっても起こる。とくに，有機液体による木材の膨潤に関する検討については，水による膨潤の検討だけでは解明不可能な膨潤メカニズムの解釈に繋がるなど，興味ある結果も得られているので，これについては後ほど，やや詳しく述べることにするが，木材の加工や使用は通常は水分の影響下で行われるので，実用的には水分による膨潤・収縮が最も重要となる。

3.2 膨潤率・収縮率の求め方

木材の膨潤(収縮)前の寸法，体積をそれぞれl_1，V_1とし，膨潤(収縮)後の寸法，体積をl_2，V_2とすると，膨潤率(coefficient of swelling, or swelling)および収縮率(coefficient of shrinkage, or shrinkage)は次式によって求められる。

$$\alpha_l = \frac{l_2 - l_1}{l_1} \times 100 \quad [\%], \quad \alpha_V = \frac{V_2 - V_1}{V_1} \times 100 \quad [\%] \quad (2\text{-}13)$$

$$\beta_l = \frac{l_1 - l_2}{l_1} \times 100 \quad [\%], \quad \beta_V = \frac{V_1 - V_2}{V_1} \times 100 \quad [\%] \quad (2\text{-}14)$$

ここで，α_l，α_Vは，それぞれ線膨潤率，体積膨潤率で，β_l，β_Vは線収縮率，体積収縮率である。

なお，体積膨潤率α_V，体積収縮率β_Vは体積の測定を行わなくても，線膨潤率，線収縮率から次の式によって計算できる。

$$\alpha_V = \left[(1+\frac{\alpha_T}{100})(1+\frac{\alpha_R}{100})(1+\frac{\alpha_L}{100})-1\right] \times 100$$

$$\fallingdotseq \left[(1+\frac{\alpha_T}{100})(1+\frac{\alpha_R}{100})-1\right] \times 100 \fallingdotseq \alpha_T + \alpha_R \quad (2\text{-}15)$$

$$\beta_V = \left[1-(1-\frac{\beta_T}{100})(1-\frac{\beta_R}{100})(1-\frac{\beta_L}{100})\right] \times 100$$

$$\fallingdotseq \left[1-(1-\frac{\beta_T}{100})(1-\frac{\beta_R}{100})\right] \times 100 \fallingdotseq \beta_T + \beta_R \quad (2\text{-}16)$$

ただし，α_T，α_R，α_L は接線，半径，繊維方向の線膨潤率，β_T，β_R，β_L はそれぞれ接線，半径，繊維方向の線収縮率であり，$\fallingdotseq$ の右の式は微小項を無視した近似値を与える。

なお，全乾状態から繊維飽和点以上の膨潤状態までの膨潤率を全膨潤率（maximum swelling），生材状態から全乾状態までの収縮率を全収縮率（maximum shrinkage）と呼ぶ。

3.3 膨潤率，収縮率と含水率

木材の膨潤率は繊維飽和点までは，含水率との間にほぼ比例関係を示す（図 2-9 参照）。しかし厳密には，約5％以下および20から25％以上の含水率域では，含水率に対する膨潤率の勾配はその他の含水率領域よりも小さい。

まず，低含水率域で勾配が小さくなる原因は，木材細胞壁には原子オーダーの微小な空隙が存在するが，そこへ水分が吸着したとき，木材は吸着した水分の体積に相当するより少ない膨潤しか示さないこと，また，低含水率で木材表面に吸着した水分子は強い吸着力のために高密度状態になっていることなどによると考えられている。一方，繊維飽和点付近で勾配が小さくなるのは，高相対湿度域で起こる毛管凝縮が膨潤に寄与しないためと考えられる。

木材を高い含水率状態から乾燥させていくと，繊維飽和点よりもかなり高い含水率から収縮が始まることが多い。これは乾燥過程の水分傾斜

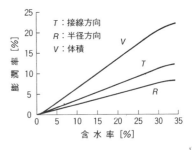

図2-9　全乾から各含水率状態までの膨潤率[1]

によるものであり、薄い木材を水分傾斜が起こらないように乾燥させると、収縮開始点は繊維飽和点に近づく。

3.4 膨潤・収縮に関与する因子

木材の膨潤・収縮に関与する影響因子は、樹種、樹体内での部位、早・晩材の別など数多いが、主要因子のうち、その影響が明らかな密度と化学成分について述べる。

(1) 密度

接線方向、半径方向並びに体積の膨潤・収縮率は密度の増加に伴い直線的に増加する傾向にあるが、繊維方向では密度との間に明確な関係は認められない。

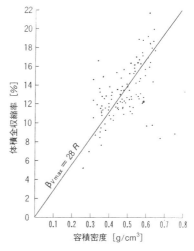

図2-10 生材から全乾状態までの体積収縮率と容積密度の関係

図2-10に北米産の121樹種について得られた全体積収縮率($\beta_{V\max}$)と容積密度Rとの関係を示す。回帰直線は原点を通り、その傾きは平均的な繊維飽和点の含水率28%に一致しており、次式が成り立つ。

$$\alpha_{V\max} = 28r_0, \quad \beta_{V\max} = 28R \tag{2-17}$$

ただし、$\alpha_{V\max}$は全体積膨潤率、r_0は全乾密度

これらの式が成り立つことは、木材の膨潤・収縮量が細胞壁に吸・脱着された水分の体積に等しいことを意味する。しかしながら、図2-10でも見られるように、上の関係式からの変動は相当大きく、例えば、含水率15%から全乾状態までの水分の単位脱着量あたりの収縮量が0.7 cm³/gを下回る樹種や、1.6 cm³/gを超える樹種もあることは、膨潤・収縮に伴い細胞内腔の容積がかなり大きく変化する樹種があることを示している。

(2) 化学成分

木材構成成分の中で、セルロースは吸湿性が高いため、その含有率と膨潤率の間には正の相関が認められている。また、ヘミセルロースはセルロースより

もさらに吸湿性が高いので，その含有率が増えると膨潤・収縮率が増加する。

一方，リグニンはセルロースやヘミセルロースに比べてかなり吸湿性が低く，また，セルロースなどの膨潤を拘束するので，その含有率の増加は膨潤・収縮率を低下させる。

抽出成分は多くの場合充填効果 (bulking effect) を持つため，含有率が増えると膨潤・収縮量は低下を示すことが多い。

図2-11 生材の異なる部位から切り取った形状の異なる材の変形

3.5 膨潤・収縮の異方性

木材の膨潤・収縮は著しい異方性 (anisotropy) を示す。接線方向（T方向）の膨潤・収縮量が最も大きく，ほとんどの樹種で全収縮率あるいは全膨潤率は 3.5〜15%，次いで半径方向（放射方向：R方向）で，2.4〜11%，繊維方向（L方向）では 0.1〜0.9% の範囲にある。接線方向：半径方向：繊維方向の膨潤・収縮率の比は 10：5：0.5 程度であるが，樹種や密度によってかなり異なることがある。また，一般に接線方向と半径方向の膨潤・収縮の異方性は低密度材ほど大きいことが知られている。

木材の膨潤・収縮の異方性，特に横断面の異方性は，乾燥過程における狂いや割れの原因となるため，利用上大きな問題となる。**図2-11**は，生材の様々な部位から種々の形状の材を採り，乾燥した場合の変形を示したものである。

(1) 縦断面の膨潤・収縮異方性の原因

木材の繊維方向の膨潤・収縮は横方向のそれに比べて著しく小さい。これは主に二次壁中層のミクロフィブリルがほぼ繊維方向に平行に配列していることに起因するとされている。しかし，ミクロフィブリル傾角が相当大きい場合でも，繊維方向の膨潤・収縮は横方向よりもはるかに小さいことから，細胞壁のラメラ構造（層状構造：lamellar structure）も縦断面の膨潤・収縮の異方性に関与していると考えられる。なお，針葉樹の圧縮あて材はミクロフィブリル傾角が正常材に比べて大きいため，繊維方向の膨潤・収縮率が正常材の5倍にも及ぶことがある。

(2) 横断面の膨潤・収縮異方性の原因

　木材の横断面の膨潤異方性に関しては，古くから膨大な量の研究が行われ，その原因についても数多くの要因が挙げられている。ここではそれらのうち，代表的なものについてのみ説明する。

　1) 早・晩材の相互作用

　早材よりも密度の高い晩材は，膨潤・収縮の潜在能力が高く，弾性率も高い。このため，早材と晩材が並列に配列している接線方向の膨潤・収縮は，早材と晩材の構成割合に応じた平均値より大きくなるのに対して，直列に配列している半径方向では，膨潤・収縮量はおおよそ早材と晩材の膨潤・収縮量の総和となる。

　2) 放射組織の影響

　放射組織は半径方向にその繊維を配列させているため半径方向の膨潤・収縮を抑制する。放射組織の構成割合が低い針葉樹材ではこの抑制効果はあまり大きくないが，幅の広い放射組織を持つ広葉樹材ではかなりの抑制効果を発揮するとされている[5]。

　3) 細胞形態と細胞壁の異方構造

　接線方向と半径方向の収縮率の比は，両方向の細胞壁厚の総和の比に等しいことが知られている[6]。このことは，細胞壁の幅方向よりも厚さ方向の膨潤・収縮量が大きいことを示唆している。

　これに対して，①二次壁中層のミクロフィブリル傾角が半径壁の方が大きい[7]，②有縁壁孔は半径壁に多く，その付近ではミクロフィブリルが迂回している，③半径壁は接線壁よりも木化の程度が高い[8]，など，細胞壁の幅方向の膨潤・収縮量の差違を異方性の原因としているものもある。

3.6　応力下における膨潤・収縮

　荷重作用下，あるいは寸法を拘束した状態で木材を膨潤・収縮させると，無応力状態とは異なる挙動を示す。例えば，木材を引張荷重下で乾燥させると，収縮率は無負荷の時より小さく，圧縮荷重の下では大きくなる。こうした応力下の乾燥によって生じる異常収縮は，外部からの荷重が作用しなくても，乾燥過程の水分傾斜によっても起こり，ドライングセット (drying set) と呼ばれている。なお，乾燥によって生じたセットは吸水や吸湿によってその大部分が回

復する。[9)10)]

　乾燥木材の繊維直角方向の寸法を完全に拘束して吸水あるいは吸湿させた後，元の含水率まで乾燥させると，拘束方向の寸法は元の寸法より小さくなる。この過程を繰り返すと，拘束方向の寸法はますます小さくなっていく。この現象を加圧収縮(compression shrinkage)といい，桶や樽のたがが緩んだり，金槌や斧の柄が抜け落ちたりするのはこのためである。**図2-12**は加圧収縮の測定例を示したもので，20回程度の乾湿繰り返しにより拘束方向に寸法は60%程度以下にまで減少している。なお，拘束されていないもう一方の繊維直角方向の寸法は逆に増加している。

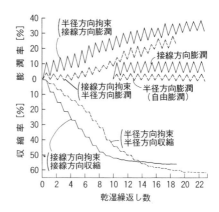

図2-12　乾湿繰返しによる拘束試験片の膨潤・収縮挙動[10)]

3.7　膨潤圧

　外圧により膨潤性ゲルの膨潤を完全に拘束したとき，拘束に要する圧力を膨潤圧(swelling pressure)あるいは膨潤応力(swelling stress)という。ゲル中の膨潤剤の蒸気圧をp_1，外部雰囲気の膨潤剤の蒸気圧をp_2とし，膨潤剤のモル体積をV，絶対温度をT，気体定数をRとすると，弾性ゲルの膨潤圧Pは次の熱力学的関係式で与えられる。

$$P = -\frac{RT}{V}\ln\frac{p_1}{p_2} \tag{2-18}$$

　しかしながら，木材についての実測値は，上式で求められる理論値よりもはるかに低い値を示すに過ぎない。この理由は，木材の膨潤が細胞内腔に逃げ完全な膨潤の拘束ができないこと，応力緩和現象を伴うことなどによるとされている。

3.8　有機液体による木材の膨潤

（1）液体の物性と膨潤性

　本節の冒頭でも述べたように，木材は様々な液体やその蒸気によって膨潤す

る。中でも，各種の有機液体を用いての木材の膨潤に関しては，分子寸法や水素結合の関与しうる官能基の有無と種類など，それら液体の物性と関連してかなり系統的な検討が行われてきた。以下にそれらの結果を簡単に述べる。

まず，有機液体による木材の膨潤は，液体の水素結合能と液体の分子寸法や形状に依存する。すなわち，基本的に，木材を膨潤させるためには液体はある程度以上の水素結合能を有する必要がある[11]。また，分子寸法が小さい液体は，木材を大きく膨潤させる[11]。一方，水やアルコール類のように，液体が自己会合性を持つことは膨潤に不利に働くことが知られている[12]。

以上のことから，木材の膨潤は，水素結合能を持つ液体分子が，木材細胞壁の非結晶領域の分子間の水素結合を切断し，その間に吸着することによって起こるといえる。その際，水素結合能が高い液体ほど木材をより高度に膨潤するのは，木材への吸着に際してより大きな吸着エネルギーが発生するためであり，分子寸法が小さいほど膨潤能が高いのは，1分子あたりの吸着に際して，吸着点の新生のための木材構成成分分子の変形や分子間の水素結合の切断数が少なく，それらに比較的わずかなエネルギーしか必要としないためと説明できる。さらに，自己会合性を持つ液体は，木材の吸着点に吸着するためには液体分子が自己会合状態から離脱する必要があり，これに余分なエネルギーを必要とするためと解釈できる[12]。

以上の議論から，分子寸法が大きい液体は木材の膨潤には不利といえるが，これは，分子内に水素結合が可能な官能基を1個しか持たない液体について成り立つことで，分子内に複数の官能基を有する液体の場合にも成り立つとは限らない。**図2-13**は分子内に複数の官能基を持つ液体による木材の膨潤を調べた結果で[13]，分子容にかかわらず分子内に2個の官能基を持つセロソルブ類とジオール類の膨潤量は分子容の増大とともに膨潤量の低下を示すが，鎖長とともにエーテル性酸素原子の数が増えるグリコール類では，分子容の増大に伴う膨潤量の低下傾向は認められず，分子容120 ml/molのテトラエチレングリコールでさえ，十分な時間が与えられれば飽水状態以上に木材を膨潤する。この結果は，木材の吸着サイトに吸着しうる官能基の増加に起因するのは明らかであり，木材の膨潤に対する液体の分子寸法の影響が，木材細胞壁内の微細空隙への侵入の寸法的な可否だけではなく，吸着点新生のための水素結合の切断や

分子鎖の変形に要するエネルギーと，液体分子の吸着のエネルギーとの大小関係にも依存することを示している。

(2) 各種膨潤状態における横断面膨潤異方性

図2-14は，様々な膨潤状態の木材の横断面異方性に関して，上図は水による膨潤異方度を1とした比異方度を，下図は接線方向および半径方向の比膨潤率(水による膨潤率を100とした相対値)を示したものである。[14)]

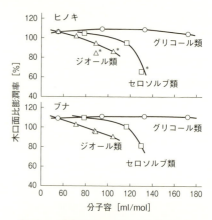

図2-13 複数の官能基を持つ有機液体の分子容と膨潤能[13)]
*を付したプロットは膨潤平衡に達していなかったもの。

ところで，吸湿や吸水によって木材の膨潤量を変化させた場合，膨潤の程度が大きいほど異方性が高くなることが知られているが[15)]，図2-14においても，液体の水中で膨潤させた場合(●)および吸湿により膨潤させた場合(図中の実線)の結果から，同様のことが言える。

さらに，上の図によれば，水よりも木材を高度に膨潤させる液体による膨潤状態では，異方性は膨潤能が高くなるにつれて例外なく拡大しているが，これは，下の図にみられるように，これらの液体による膨潤では，半径方向の膨潤量が飽水状態のそれを大きく超えることがないことに起因していることは明らかである。このことは，木材が半径方向に飽水状態以上に膨潤することに対して強い拘束作用が存在していることを示すものと考えられる。

また，水よりも膨潤能の低い液体による膨潤状態では，クロロホルム(ChlF)の場合を除き，吸湿による膨潤状態よりも高い異方性を示しているが，膨潤量と異方性の間には一定の傾向は見られない。ただし，アルコール類，ケトン類，エステル類といった個々の同族列の液体間で比較すると，疎水部分の鎖長が長くなるにつれて異方性が拡大する傾向が見られる。このことから，飽水以下の膨潤状態では，細胞壁中の膨潤性吸着点の化学的性質や分布，膨潤しうる空間の大きさなどと関連して，液体分子の持つ官能基の種類や分子寸法などが木材

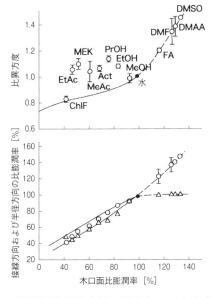

図 2-14 各種有機液体による膨潤における横断面膨潤異方性（上）と接線方向（○）および半径方向（△）の膨潤度依存性（下）[14]

MeOH：メタノール，EtOH：エタノール，PrOH：プロパノール，Act：アセトン，MEK：メチルエチルケトン，MeAc：酢酸メチル，EtAc：酢酸エチル，ChlF：クロロホルム，FA：ホルムアミド，DMF：ジメチルホルムアミド，DMAA：ジメチルアセトアミド，DMSO：ジメチルスルホキシド。実線は吸湿および飽水材についての結果。また，エラーバーは 95% 信頼区間を示す。

の横断面膨潤異方性に関与していると考えられている。

● 引用文献

1) R. Keylwerth："Untersuchungen über freie und behinderte Quellung - Vierte Mitteilung: Untersuchungen über den Quellungsverlauf und die Feuchtigkeitsabhängigkeit der Rohdichte von Hölzern", *Holz als Roh-und Werkstoff*, **22**, 255-258（1964）
2) J. A. Newlin, T. R. C. Wilkson："The relation of the shrinkage and strength properties of wood to its specific gravity", *U.S. Dept. Agric. Bull.*, No. 676（1919）
3) A. Meriaux："Le Retrait du Bois et ses Constituants Chimiques. Recherche de correlation", *Holzforshung*, **12**, 51-57（1958）
4) Forest Product Laboratory："Wood Handbook—Wood as an Engineering Material", Forest Products Society, 4-5（2011）
5) 中戸莞二："木材の収縮膨脹に関する異方性の原因について（第 8 報）顕微鏡的構造と異方的収縮（1）", 木材学会誌, **4**, 100-105（1958）
6) P. Koch："Utilization of the Southern Pine", *Agricultural Handbook*, No. 420, USDA Forest Service, 288（1972）

7) 中戸莞二："木材の収縮異方性"，材料，**12**，689-694（1963）

8) H. H. Bosshard："Über die Anisotropie der Holzschwindung"，*Holz als Roh- und Werkstoff*, **14**, 285-295（1956）

9) たとえば，徳本守彦：ドライング・セットの水分回復（第1報）── セット材の全膨潤経過──"，木材学会誌，**19**，577-584（1973）

10) T. Parkitny："Über den Einfluß mechanischer Hindernisse auf die Quellung und Schwindung von Kiefernholz"，*Holz als Roh-und Werkstoff*, **1**，449-454（1938）

11) A. N. Nayer, R. L. Hossfeld："Hydrogen Bonding and the Swelling of Wood in Various Organic Liquids"，*J. Am. Chem. Soc.*, **71**, 2852-2855（1949）

12) 森里恵ほか："木材に対する有機液体の吸着性と膨潤性（第3報）── 各種有機液体の乾燥木材への吸着性──"，木材学会誌，**43**，986-992（1997）

13) 石丸優，丸田隆之："複数の官能基を持つ有機液体による木材の膨潤とその異方性"，木材学会誌，**42**，234-242（1996）

14) 石丸優ほか："各種膨潤状態における木材の膨潤異方性"，木材学会誌，**37**，187-193（1991）

15) R. Keylwerth："Untersuchungen über freie und behinderte Quellung von Holz- Erste Mitteilung: Freie Quellung"，*Holz als Roh-und Werkstoff*, **20**，252-259（1962）

❖ 一口メモ ❖

横断面の膨潤・収縮が均等に起こると

　仮に木材が横断面であらゆる方向に均等に収縮し，繊維方向の収縮は現実通り極めてわずかであると仮定すると，飽水状態から全乾状態までの収縮率（全収縮率）は，その密度の影響を受けず，半径方向と接線方向で等しくほぼ14％にもなる。これを膨潤率に換算すると，半径方向，接線方向の全膨潤率は19％，横断面の膨潤率は42％にもなり，全乾状態から飽水状態までの膨潤によって，横断面の面積は1.4倍を超えることになる。もしこのような収縮・膨潤が実際に起これば，木材は多くの用途に使用できなくなるであろう。しかし実際には，収縮・膨潤にともなう細胞内腔の断面積変化は多くの場合わずかであり，半径方向および接線方向の収縮・膨潤量は細胞壁実質の量に依存する。このため，比較的密度の低い木材の半径および接線方向の収縮・膨潤量は上の計算で得た値よりもはるかに小さい。この理由は，木材細胞壁の複雑な壁層構造のために，収縮・膨潤が主に細胞壁の厚さ方向に起こることに因るものと考えられる。

第4節 熱特性

4.1 熱膨張

固体は一般に温度変化によって長さや体積が変動する。これを熱膨張 (thermal expansion)と呼ぶ。この現象は，物質の温度が上昇することによって物質を構成する分子の振動が大きくなり，分子間距離が広がることによるとされる。

固体の温度が1K変化するときの長さの変化率を線膨張率(coefficient of linear expansion)と呼ぶ。温度がT_1およびT_2での木材の長さをそれぞれl_1およびl_2とすると，線膨張率α [1/K] は次式で求められる。

$$\alpha = \frac{1}{l_1} \cdot \frac{l_2 - l_1}{T_2 - T_1} \tag{4-1}$$

また，同様に温度による体積の変化率を体積膨張率(coefficient of volume expansion)とよび，温度がT_1およびT_2での木材の体積をそれぞれv_1およびv_2とすると体積膨張率β [1/K] は次式で求められる。

$$\beta = \frac{1}{v_1} \cdot \frac{v_2 - v_1}{T_2 - T_1} \tag{4-2}$$

一般に固体の三次元各方向の線膨張率をα_1, α_2, α_3とした場合，線膨張率αと体積膨張率βの間には近似的に次の関係が成り立つ。

$$\beta \fallingdotseq \alpha_1 + \alpha_2 + \alpha_3 \tag{4-3}$$

木材の場合にはα_L(繊維方向)，α_R(放射方向)，α_T(接線方向)とβの関係は次式となる。

$$\beta \fallingdotseq \alpha_L + \alpha_R + \alpha_T \tag{4-4}$$

木材の線膨張率には異方性があり，繊維方向の線膨張率は$3 \sim 5 \times 10^{-6}$ [K^{-1}]，放射方向の線膨張率は$20 \sim 40 \times 10^{-6}$ [K^{-1}]，接線方向の線膨張率は$30 \sim 50 \times 10^{-6}$ [K^{-1}] となり，繊維方向が小さいのが特徴である[1]。これらから3者の関係$(\alpha_L : \alpha_R : \alpha_T)$は概ね$1 : 6 \sim 7 : 10$と見なせる。なお，木材の繊維方向の線膨張は，

金属等の他材料(アルミニウム：$\alpha = 23.1 \times 10^{-6}$ [K^{-1}]，ガラス：$\alpha = 8 \sim 10 \times 10^{-6}$ [K^{-1}])[2])と比べて小さい場合が多い。

木材の密度が線膨張率に与える影響は繊維方向では小さく，繊維直交方向では両者には正の相関が見られる[3]。

表2-3　木材と各種材料の比熱[2]

材　料	温　度 ℃	比　熱 c $\times 10^3$ J/(kg·K)
木材	20	1.3*
ステンレス鋼	0	0.47
コンクリート	25	0.8*
ガラス	10～50	0.7*
ポリスチレン	20	1.34

注)　*：最大値

木材の線膨張率は含水率に影響を受け，含水率が1％増大すると線膨張率は繊維方向で2～3％，繊維に直角方向で3～5％減少する。また，線膨張率は温度に対し，ほぼ一定と見なされている。

実際の使用時において，木材の熱膨張は問題とならないと考えて良い。しかしながら，実際の使用時には温度変化に伴って木材の含水率変化が発生する場合が多いことから，含水率変化に起因する長さおよび体積の変動に注意するべきである。

4.2　比　熱

単位質量(＝1kg)の物体を1K上昇させるのに必要な熱量 [J] を比熱(specific heat)と呼ぶ。木材において，比熱は樹種，密度，心辺材の違いといった影響を大きく受けず，ほぼ一定とされている。また，温度依存性を持ち，全乾状態にある木材(全乾木材)においては比熱 c [J/(kg·K)] と温度 T [K] との間に次式の直線関係があるとされる[3]。

$$c = 4184 \times [0.266 + 0.00166(T - 273)] \qquad (4\text{-}5)$$

比熱の含水率依存性に関しては，次のように考えられる。すなわち，水分を含有する木材の比熱は，全乾木材の比熱と水分の比熱の和で表され，含水率 u ％の木材の比熱 c_u は全乾木材の比熱を c_0 [1.11×10^3 J/(kg·K)]，水の比熱を c_w [4.19×10^3 J/(kg·K)] とした場合に次式が成り立つ[5]。

$$c_u = \frac{100}{100 + u} c_0 + \frac{u}{100 + u} c_w \qquad (4\text{-}6)$$

表2-3に代表的な材料の比熱を示す。木材の比熱は金属やガラス等の建築

材料に比べてやや大きな値を示す。

4.3　熱 容 量

　ある質量をもつ物体の温度を1K上昇させるのに必要な熱量を熱容量(heat capacity)と呼ぶ。質量 m [kg] の比熱 c [J/(kg・K)] の物体の熱容量 C [J/K] は次式で示される。

$$C = c \cdot m \tag{4-7}$$

　すなわち密度の高い物質は密度の低い材料に比べて同じ体積の場合においても質量が大きいため，比熱が同じであっても温度変化に必要となる熱量は大きくなる。例えば，木材に比べコンクリートは比熱がやや小さいが，密度が高いため，同じ体積の場合でも熱容量は大きい。このため，冬期において冷え切ったコンクリートの建物は暖房しても暖まりにくい場合がある。また，同じ物体でも体積が増せば質量が増えるため熱容量は大きくなる。

4.4　熱伝導率

　物質の移動を伴わずに物体内の熱が高温部分から低温部分へ移動する現象を熱伝導(heat conduction)と呼ぶ。すなわち熱伝導は，物質が固体もしくは動きのない流体内での熱の動きを説明するものである。木材の場合には内部に空隙を有するため，厳密に言えば内部表面の熱放射(heat radiation：物質表面からの分子運動による電磁波による熱移動)や空隙での熱伝達(heat transfer：固体と流体間の熱移動)による熱の移動も発生していると考えられるが，木材を材料として使用する場合には，みかけ上熱伝導で熱が移動するとして扱う場合が多い。

　物体内の熱の流れを1次元と見なした場合の，物体内のある断面の単位面積を単位時間に流れる熱量を熱流束(heat flux)と呼び，q [W/m^2] とする。ここで，熱流束の方向 x における温度勾配を dT/dx とすると，q は次式で表される。

$$q = -\lambda \frac{dT}{dx} \tag{4-8}$$

　同式はフーリエ(Fourier)の法則と呼ばれ，移動熱量は温度勾配に比例するとする熱伝導の基本式である。ここで λ [W/(m・K)] は物質によって決まる熱の伝わり易さを示す値であり，熱伝導率(thermal conductivity)と呼ばれる。木材と代表的な材料の熱伝導率を**表 2-4** に示す。木材の熱伝導率はコンクリー

表2-4　木材と各種材料の熱伝導率[4,6]

材　料	密度 kg/m³	熱伝導率λ W/(m·K)
針葉樹[Ⅱ]スギ，エゾマツ	300〜450	0.09
針葉樹[Ⅰ]マツ，ヒノキ，ヒバ，ツガ	460〜600	0.13
広葉樹[Ⅰ]ラワン	460〜600	0.13
広葉樹[Ⅱ]クリ，ミズナラ，ブナ，ケヤキ	610〜	0.16
鋼材	7860	45
アルミニウムおよびその合金	2700	210
普通コンクリート	2540	0.78
赤れんが	1650	0.62
グラスウール保温板(2号24K)	24	0.039

注) 木材は繊維直交方向　20℃ 気乾状態の値

トや金属に比べて低く，グラスウール等の断熱材に比べれば高い。

　木材の熱伝導率は密度，熱伝導の方向，含水率，温度等の影響を受ける。木材は多孔性物質であり，材内の空隙内に多くの空気を含む。空気の熱伝導率は木材実質の熱伝導率より低いことから，密度が低くなり空隙が増すことによって空気の割合が増えるほど熱伝導率は低くなる。また，木材の熱伝導率には異方性があり，繊維直交方向と繊維方向では1:2〜2.5の関係がある[3]。すなわち，繊維方向の方が熱を通しやすい。なお，繊維直交方向では放射方向と接線方向に大きな差はないとされている。20℃ の全乾木材の繊維直交方向および繊維方向の熱伝導率$\lambda_\perp$および$\lambda_{//}$については，密度d_0 [kg/m³] との関係において，次式が示されている[5]。

$$\lambda_\perp = 1.163 \times [0.022 + 0.724(d_0/1000) + 0.0931(d_0/1000)^2] \qquad (4\text{-}9)$$

$$\lambda_{//} = 1.163 \times [0.022 + 0.346(d_0/1000)] \qquad (4\text{-}10)$$

　木材の熱伝導率は含水率の影響を受ける。これは水の熱伝導率が全乾木材のそれに比べて高いことによる。そのため，含水率の増加によって熱伝導率は大きくなる。含水率u_1 [%] およびu_2 [%] での熱伝導率をそれぞれλ_1, λ_2とした場合に，次式の関係が示されている。

$$\lambda_2 = \lambda_1 [1 - k(u_1 - u_2)] \qquad (4\text{-}11)$$

ここで，kは実験から導かれた係数であり，繊維飽和点以下で0.012，繊維飽和点以上で0.008を用いる[3]。

熱伝導率は温度に対してほぼ比例するとされている。これは，木材内部空隙の空気の熱伝導率が変化するためである。すなわち木材全体の熱伝導率の温度による変化は，木材の空気の含有率を示す密度の影響を受ける。全乾密度をd_0[kg/m^3]，温度T_1[K]およびT_2[K]での熱伝導率をそれぞれλ_1，λ_2とした場合において，次式の関係が示されている[5]。

$$\lambda_2 = \lambda_1 \{1 - [1.1 - 0.98\,(d_0 \times 1000)]\} \frac{T_1 - T_2}{100} \tag{4-12}$$

表2-5 木材と各種材料の熱拡散率[5, 6]

材　料	熱拡散率a $\times 10^{-6}$ m^2/s
スギ	0.18
ブナ	0.14
鋼材	110
アルミニウムおよびその合金	94
普通コンクリート	0.83
赤れんが	0.22
グラスウール保温板(2号24K)	0.14〜0.42

4.5　熱拡散率

加熱および冷却等によって材料内の温度が時間と共に変化している状態における材料の温度変化速度の目安として熱拡散率(thermal diffusivity)がある。

熱拡散率a[m^2/s]は，熱伝導率λ[W/(m·K)]，比熱c[J/(kg·K)=(W·s)/(kg·K)]，密度d[kg/m^3]から次式で定義される。

$$a = \frac{\lambda}{c \cdot d} \tag{4-13}$$

すなわち，材料の温度変化速度は熱の伝わり易さ(熱伝導率)だけではなく，単位容積あたりの熱容量($c \cdot d$)の影響を受ける。各材料の熱拡散率を**表2-5**に示す。

木材の熱拡散率は密度$400 \sim 800$kg/m^{3}の範囲でほぼ一定と見なせ，この範囲外の木材はやや大きな値を示す。また，熱拡散率は含水率増加によって低下するがその傾向は小さく，含水率約50％以上では一定となる。一方，温度に関してはほぼ一定と見なして良いとされている[3]。

4.6　熱伝導率の測定方法

材料の熱伝導率を測定するにはいくつかの方法があるが，本項では木材および木質材料の測定に用いられることが多い熱流計法について解説する。

例として板状の材料の両面に温度差を与えて熱流を発生させた場合を考える。熱伝導率 λ [W/(m・K)]，熱の流れる断面積 S [m²]，材料厚 L [m]とし，材料内の温度勾配が時間的に変化せず一定の状態となった場合の材料表面の温度を低温側を T_1 [K]，高温側を T_2 [K] とすると，材内を移動する熱流量 ϕ [W] は次式で表される。

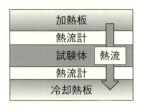

図2-15 熱伝導率の測定方法

$$\phi = \lambda \cdot S \frac{T_2 - T_1}{L} \qquad (4\text{-}14)$$

すなわち，実験的に材料の両面全体に温度差を与え，材料の両面の温度変化が停止した時点で材料を通過する熱流量を何らかの方法で計測すれば，材料の面積と厚さから熱伝導率を算出することが出来る。**図2-15** に熱流計法の模式図を示す。熱流計と呼ばれる熱流量を計測できる測定器で材料を挟み，この両面に加熱板と冷却熱板を密着させて材料内に温度勾配を発生させる。そして，上下の熱流計の値が同一になった時点での熱流量と材料両面の表面温度差，熱流の測定面積および材料の厚さから，(4-14)式を用いて熱伝導率を算出する。前述のように，木材の熱伝導率は温度，含水率の影響を受けるため，測定に際しては，試験環境の温湿度や，試験体の温度と含水率が一定の状態になっていることなどに，十分に注意を払う必要がある。

● 引用文献
1) 高橋徹，中山義雄編："木材科学講座3 物理(第2版)"，海青社，45 (1995)
2) 国立天文台編："理科年表 平成29年"，丸善，415, 505 (2016)
3) 伏谷賢美ほか："木材の物理"，文永堂出版，196, 198, 202, 204 (1985)
4) 森林総合研究所監修："木材工業ハンドブック(改訂4版)"，丸善，118 (2004)
5) 日本木材学会編："木質の物理"，文永堂出版，201, 208, 210 (2007)
6) 日本建築学会編："建築環境工学用教材 環境編"，丸善，72 (2011)

第5節　熱分析，熱分解および燃焼

5.1　熱劣化

　木材は，温度の上昇に伴って強度が低下することが知られている。これを熱劣化(thermal degradation)という。温度の上昇によりリグニンの可塑性(plasticity)が増大することや，100℃くらいから熱分解(thermal decomposition)が始まることの影響と考えられている。含水率3％程度のスギ，カラマツ，ベイマツ，ケヤキの常温，100℃，150℃，200℃，250℃における曲げ強度を表2-6に示す。150℃になると木材の曲げ強度は常温時の6割程度に低下する。

　木材の色の経年変化についても，熱処理木材の見かけの色の変化との比較から類似性が高く，木材の老化(aging)を緩やかな熱酸化反応として捉えることができる。

5.2　木材の燃焼と難燃処理

　木材が可燃性材料であることは，エネルギーとして利用する場合や廃棄に際して焼却できる点では長所であるが，建築材料として利用する場合は火災安全性の観点からは弱点となる。木材は，加熱されることによって熱分解してガス化し，これに空気が混合されて可燃性混合気体となったところへ外部からエネルギーが与えられると発炎(flaming)燃焼する。口火がない場合でも雰囲気温度が400～480℃になると発火する。発炎燃焼が開始すると，燃焼(combustion)に伴う熱エネルギーが供給されるので，加熱→熱分解→燃焼のプロセスが継続する。口火がある場合は，口火からエネルギーが供給されることから着火温度(ignition temperature)は低くなる。着火温度は，木材が急激に熱分解を開始す

表2-6　スギ，カラマツ，ベイマツ，ケヤキの高温時の曲げ強度

	曲げ強度の実測値(平均)(N/mm^2)					曲げ強度の残存率				
加熱温度	常温	100℃	150℃	200℃	250℃	常温	100℃	150℃	200℃	250℃
スギ	81.39	60.28	52.19	37.55	24.42*	1.00	0.74	0.64	0.46	0.30*
カラマツ	117.03	88.22	66.75	47.98	22.27	1.00	0.75	0.57	0.41	0.19
ベイマツ	121.66	73.31	70.71	59.26	30.29	1.00	0.60	0.58	0.49	0.25
ケヤキ	127.27	83.15	72.69	38.95	18.59	1.00	0.65	0.57	0.31	0.15

* 250℃の欄に示したスギの値は230℃での測定結果を示す。

る240〜280℃である場合が多いが，木材への輻射熱強度(heat flux)が低いと，この温度は高温側にシフトする。

建築材料に使用する場合には，使用する場所によっては，材料に防耐火性能が求められる。木材を難燃化するには，加熱→熱分解→燃焼のプロセスを部分的にまたは全体的に遅延・阻止する必要がある。木材そのものを燃え難くし，内装材料等に求められる不燃材料や準不燃材料などの性能を付与するためには，木材中に難燃薬剤を含浸させる処理が行われている。薬剤の効果としては，加熱時に発泡

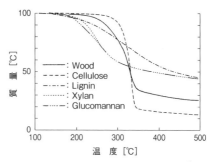

図2-16 木材とその成分のTG曲線[4]

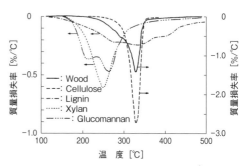

図2-17 木材とその成分のDTG曲線[4]

層を形成することによる遮熱，遮炎，酸素の供給阻止などの物理的作用や木材の脱水炭化を促進したり，水や炭酸ガス，窒素系ガス等を発生させて可燃性ガスの濃度を薄める等の化学的作用が期待される。おもな難燃薬剤としては，ホウ酸系薬剤や窒素リン酸系薬剤などが挙げられる。

5.3 熱分析

熱分析(thermal analysis)は，材料の熱分解過程を分析するツールのひとつである。一定の雰囲気中(窒素，ヘリウム，真空など)に置かれた試料を一定の昇温速度で加熱した際の重量を測定し，その重量減少率を示したものを熱重量減少曲線(TG曲線：thermogravimetry curve)，重量減少速度を示したものを熱重量減少速度曲線(DTG曲線：differential thermogravimetry curve)と呼ぶ。木材は，セルロース，ヘミセルロース，リグニンを主成分とすることから，熱分解過程は複雑な経過をたどる。図2-16，図2-17は木材，セルロース，ヘミセルロー

ス(キシランとグルコマンナンがヘミセルロースにあたる), リグニンのTG曲線とDTG曲線を示す[4]。ヘミセルロースとリグニンの熱分解開始温度はほぼ同じだが, ヘミセルロースの熱分解が300℃でほぼ完了するのに対し, リグニンの熱分解は500℃あたりまで続く。セルロースの熱分解は250℃から急激に進行し, 350℃で完了する。化学成分に支配される木材の熱分解による重量減少挙動は(5-1)式で表わされる[5]。

$$-\frac{dW}{dt} = \sum_i k_i w_i = \sum_i A_i e^{-E_i/RT} w_i \qquad (5\text{-}1)$$

ここで, Wは時間tにおける木材試料の重量, w_iは木材成分iの重量, k_iは熱分解反応速度定数, E_iは熱分解の活性化エネルギー(activation energy), Rは気体定数, Tは絶対温度, A_iはアレニウス(Arrhenius)の前置係数である。

5.4 発 熱 量

木材は燃焼する際, 熱エネルギーを放出する。この熱は古くは薪や炭として, また近年は, バイオマスエネルギー(biomass energy)として使用されている。

木材には水分が含まれることから通常の木材を燃焼させる際には水の影響を考慮する必要がある。発熱量(calorific value)には高位発熱量と低位発熱量とがあり, 燃焼により生成した水蒸気の凝縮潜熱を含めた発熱量を高位発熱量, 凝縮潜熱を含まない発熱量を低位発熱量という。熱量計で測定される発熱量は高位発熱量であるが, ボイラーやエンジンなど工業的な熱効率を定義する際には低位発熱量を用いる場合が多い。

木材の高位発熱量は木材を構成する成分に依存し, 針葉樹で約20.5MJ/kg, 広葉樹で約19.9MJ/kgである[6]。広葉樹に比べて針葉樹の発熱量が高いのは, 針葉樹のリグニン含有率が広葉樹よりも高いためである。

●引用文献

1) 加來千紘ほか:"火災加熱が木材の力学的性能に及ぼす影響——加熱した針葉樹材及び広葉樹材の高温時及び加熱冷却後のヤング係数・曲げ強度の測定——", 日本建築学会構造系論文集, **79**, 1065-1072 (2014)
2) M. Matsuo *et al.*:"Aging of Wood–Analysis of color changing during natural aging and heat treatment", *Holzforschung*, **65**, 361-368 (2011)
3) 日本木材加工技術協会:"日本の木材", 日本木材加工技術協会, 1-101 (1984)

4) 平田利美："木材およびセルロースの熱分解速度論"，木材学会誌，**41**，879-886（1995）
5) 秋田一雄："木材の発火機構に関する研究"，消防研究所報告，Vol. 9，No. 1-2，1-106（1959）
6) 高橋徹，中山義雄編："木材科学講座3 物理（第2版）"，海青社，50（1995）

一口メモ

木材を触れたときに感じる温かさ

　人間が，例えば室温に置かれた金属や木材，布などの物体に触れたとき，金属に触れたときには「冷たく」，木材や布に触れたときには「温かく」感じる。このような皮膚感覚は接触温冷感（あるいは接触冷温感）と呼ばれている。接触温冷感は，熱の伝えやすさ，すなわち熱伝導率と密接な関係があることが知られている。熱伝導率が高い材料は，人体が接触した瞬間に人体から多くの熱を奪うため，触れた瞬間に冷たく感じる。木材は，顕微鏡レベルで見ると，道管や仮道管などの中空パイプ状の組織が配列したハニカム状の構造をしている。空気の熱伝導率は木材実質の熱伝導率よりも低いことから，木材中に含まれる空隙の存在によって熱伝導率は低くなる。このため，木材は金属やガラスと比較して熱伝導性が低いことにより，寒いときに木材に触れても金属に触れたときほど冷たくは感じず，逆に高温に置かれたものを触ったとき，木材は金属ほど熱くは感じない。

第6節 電気的性質

木材の電気的な性質は，木材に含まれる水分の影響を強く受けるため，これを利用して，木材の含水率を知ることができる。また，製造場面においては，高周波加熱を利用した木材の接着や乾燥，曲げ木加工にも利用される。本節では，木材の電気抵抗，導電率，誘電率，圧電率といった電気的性質について，これらへの木材中の水分の影響についても併せて概説するとともに，電気的性質を利用した木材の含水率測定についても紹介する。

6.1 乾燥木材の電気抵抗および導電率

乾燥状態の木材は絶縁体であり，(電気)抵抗R [Ω] は，電圧をV [V]，電流をi [A] とすると，オーム(Ohm)の法則にしたがって次式で与えられる。

$$R = \frac{V}{i} \qquad [\Omega] \tag{6-1}$$

ここで，単位断面積の固体の単位長さあたりの抵抗を比抵抗(specific resistance)または抵抗率(resistivity) ρ といい，ρ の逆数を導電率(電気伝導率: electrical conductivity) σ，抵抗Rの逆数をコンダクタンス(conductance) G という。すなわち

$$\sigma = 1/\rho \qquad [\Omega^{-1} \cdot m^{-1}] \tag{6-2}$$

$$G = 1/R \qquad [\Omega^{-1}] \tag{6-3}$$

抵抗率には，測定方法により，体積抵抗率と表面抵抗率の2種類がある。前者は測定対象を2つの電極で挟み込み測定するのに対して，後者は測定対象の片側のみに電極を設置し測定する。

いま，測定すべき固体の電極間の長さをl [m]，断面積をA [m^2] とすると，体積抵抗率ρ [Ωm] は次式で与えられる。

$$\rho = R \frac{A}{l} = \frac{V}{i} \frac{A}{l} \qquad [\Omega m] \tag{6-4}$$

表2-7に，全乾木材を含む各種材料の体積抵抗率を示す。乾燥木材の抵抗率

は，エポキシ樹脂やフェノール樹脂といった絶縁材料に匹敵することがわかる。

絶縁体の電気特性を評価する際，通常は抵抗率を用いるが，イオン性物質を多く内含する物質（木材も含まれる）に関し

表2-7　様々な物質の体積抵抗率[1]

物　質	体積抵抗率($\Omega \cdot m$)
乾燥木材	$10^9 \sim 10^{10}$
雲　母	10^{15}
ガラス，セラミック	$10^{10} \sim 10^{13}$
ゴ　ム	$10^{13} \sim 10^{14}$
ポリ塩化ビニル	10^{14}
エポキシ樹脂（シリカ充填）	$10^{10} \sim 10^{15}$
フェノール樹脂	$10^9 \sim 10^{10}$
銅，鉄，金，銀	10^{-8}
ニクロム，ビスマス	10^{-6}

ては，導電率やコンダクタンスを用いることが多い。一般に，直流であるか交流であるかに関わりなく，樹種間での導電率の差異は小さい。一方，全乾木材では密度が高い材ほど単位体積あたりの実質，すなわち電気の通り道が多くなるため，導電率は大きくなるが，測定値に及ぼす密度の影響は小さい。また，金属などの良導体では温度上昇とともに導電率は小さくなるのに対して，逆に木材の場合導電率は大きくなる。さらに，導電率には異方性があり，繊維方向では繊維直交方向に比べて，2〜4倍程度大きい。これは，木材は道管や仮道管といった中空の通導組織が並列に配列したハニカム構造体であり，繊維方向では空気層が電気伝導を妨げないのに対して，繊維直交方向では電気は空気層を避け，より長い経路で伝導する必要があり，電気伝導の損失が大きいことによると説明できる。

6.2　含水率と導電率

木材の導電率は全乾状態から繊維飽和点までにかけて，含水率の増加にしたがって急激に上昇し，繊維飽和点を超えると緩やかに上昇する。木材の抵抗率と含水率の関係を図2-18に示す。抵抗率は導電率の逆数であり，全乾状態（含水率0%）から繊維飽和点（含水率30%）まで含水率の増大に伴って著しく低下している。このうち，含水率約7%付近までは，抵抗率の対数と含水率とはほぼ直線関係にあるが，含水率がそれ以上になると徐々に傾きが小さくなり，繊維飽和点を超えると，含水率増加にともなう抵抗率の低下はさらに小さくなっていく。このような含水率増加にともなう電気抵抗の段階的な変化は，含水率7%までは木材実質に吸着した水分子が単分子層吸着水のみであり，吸着水の

量の増加が電気抵抗の低下に大きく作用するが，これ以上の含水率になると単分子層吸着水の量は飽和することから，電気抵抗の低下は緩やかになる．また，繊維飽和点以上では，電気の伝わる主な経路が細胞壁から液状の水（自由水）が存在する細胞内腔に移り，連続した水脈中を電気が通るため，含水率の増加が電気抵抗にほとんど影響を及ぼさなくなることによると説明できる．

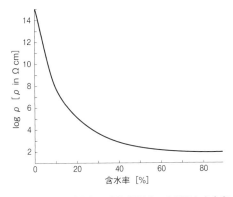

図2-18 複数の樹種での電気抵抗率 ρ の対数と含水率との関係[2]

6.3 木材の誘電性

物質に対して外部から電場をかけたとき，物質表面に電荷が誘導され，物質内に電荷の偏り（電気双極子モーメント：electric dipole moment）を生じることを誘電分極(dielectric polarization)といい，誘電分極が起こる物質を誘電体(dielectric substance)と呼ぶ．誘電分極は物質内部の結晶構造，分子構造等の微細構造によって引き起こされ，その微細構造の構成単位が大きい順に，界面分極，配向分極，イオン分極，電子分極に分類される．

界面分極(interfacial polarization)は，物質内に存在する絶縁層と伝導層の界面において電気伝導が遮られ，電荷が蓄積されることにより起こる．配向分極(orientational polarization)は，物質中に含まれる極性のある分子あるいは側鎖が双極子(electric dipole)として回転配向することにより起こる分極である．イオン分極(ionic polarization)は，物質中に含まれるイオンの位置が変化することにより，正負の電荷の重心がずれることによる分極である．電子分極(electronic polarization)は，分子や原子に含まれる電子の位置が変化することにより起こる分極である．木材も誘電体である．木材を構成する主要な成分であるセルロースに含まれる一級水酸基（メチロール基）や，木材に吸着した水分子は双極子として配向することから，木材分野において主として配向分極が研究対象とされてきた．

誘電率 ε は電場に置かれた物質の分極の程度を示す値であり，電場の強さ E（$= V/d$）[V m^{-1}] と誘電体に生じた電気変位 D [C m^{-2}] により次式で与えられる。

$$\varepsilon = D/E \qquad [\mathrm{F\ m^{-1}}] \tag{6-5}$$

一方，物質の誘電率 ε と真空の誘電率 ε_0 の比 $\varepsilon/\varepsilon_0 = \varepsilon_r$ を比誘電率（specific permittivity or dielectric constant）といい，物質の誘電性の尺度としては多くの場合こちらが用いられる。それゆえ，一般には比誘電率を誘電率と呼んでいることが多いことに注意が必要である。比誘電率は，極板間が物質で満たされたときの電気容量（コンダクタンス：conductance）C と，真空のコンデンサのときの電気容量 C_0 の比からも求めることができる。

$$\varepsilon/\varepsilon_0 = C/C_0 = \varepsilon_r \tag{6-6}$$

ここに，ε_0 は真空の誘電率（0.088542 pF/cm）である。

なお，比誘電率は上式から明らかなように無次元量である。空気の比誘電率はほぼ1，水が81であるのに対して，全乾木材では常温（25℃）において2〜4であり，温度の上昇に伴ってわずかに上昇する傾向にある。

乾燥状態の木材の誘電率は，木材の密度が高いほど大きい。また，誘電率は温度上昇にしたがって増加する傾向にあるが，その程度は小さい。誘電率には導電率と同様に異方性があり，繊維方向では繊維直交方向の1.3〜1.5倍の誘電率を示す。

木材の誘電率は，吸湿すなわち含水率の増加とともに上昇する。さらに水分量が増加し，繊維飽和点以上の含水率になると，上昇の度合いはさらに大きくなる。

6.4　交流電場における誘電性

これまで直流電場における木材の誘電性について概説してきたが，誘電体が交流電場（交番電場），すなわち極板の正負が一定の周期（周波数）で交互に入れ替わる環境に置かれたとき，誘電率は次のように複素表示される。

$$\varepsilon^* = \varepsilon' - i\varepsilon'' \tag{6-7}$$

ここで，ε^* は誘電関数（あるいは複素誘電率：complex dielectric constant），ε' は

誘電率，ε''は誘電損失(dielectric loss)である。誘電損失は誘電体における電気エネルギーの損失に関する定数である。

ε'およびε''は，周波数によって変化する値であり，周波数に依存する現象を誘電分散という。誘電体に交流電場が作用すると，双極子，イオン，電子といった誘電体に含まれる誘電分極を引き起こす構成単位は電場の変化に追従して分極するが，周波数が上昇するにつれて，構成単位の大きさが大きいものから順に，電場の変化に追従できなくなる。このとき，加えられた電気エネルギーは分極運動の摩擦によりジュール熱へ変換されるため，この付近の周波数において誘電率が急激に低下するとともに，誘電損失は急激に増大していく。さらに周波数が上昇すると，誘電損失は減少に転じることにより，誘電損失の周波数依存性曲線において，ピークが出現する。図2-19に周波数と誘電分散の関係を示す。周波数が低い順から，界面分極，配向分極，イオン分極，電子分極による誘電分散が起こる。このうち，配向分極による誘電分散は誘電緩和(dielectric relaxation)と呼ばれている。

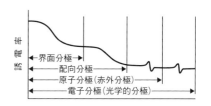
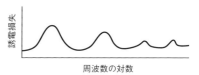

図2-19　誘電体の誘電分散の模式図(誘電率および誘電損失の周波数依存性)

図2-20に含水率の異なる木材の誘電率ε'と誘電損失ε''の周波数依存性の測定例を示す。20℃において全乾木材では10 MHz(10^7 Hz)付近でε''のピークが認められる。これは，木材中のセルロースに含まれる一級水酸基の配向分極に基づく誘電緩和である。このピークは含水率が増大するにつれて，ピークの高さが高くなるとともに，ピーク位置が高周波側に移動しているように見える。これは，木材由来の一級水酸基による緩和に，より高い周波数に現れる(=緩和時間が短い)水分子の配向分極による緩和が重なった結果であることが明らかにされている。また，ε'についてもε''のピーク出現と同じ周波数域において，値の低下が認められる。このように，ε'，ε''ともに含水率の影響を強く受ける。木材中の自由水はマイクロ波領域の周波数で水分子の配向分極に基づく誘電緩和により誘電損失が著しく増大し，内部摩擦により大きく発熱する。この性質

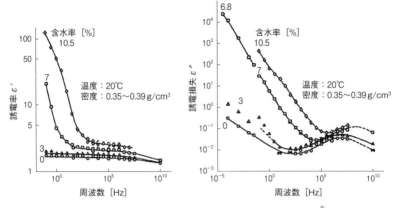

図2-20 ヒノキでの誘電率と誘電損失に及ぼす周波数の影響[3]

を利用して，木材の乾燥や曲げ木加工などが行われている．

6.5 木材の圧電性

特定の結晶体に応力を加えると結晶表面に分極が生じ，それに伴う電界を生じる．また逆に電界を結晶に作用させるとひずみを生じ，それに伴う応力が生じる．このような物体の性質を圧電性（piezoelectric property）という．木材も圧電性を示すが，これは主にセルロース結晶の分極に起因する．

圧電率（piezoelectric coefficient, piezoelectric modulus）はテンソル d_{ij} で表され，応力 T_j と分極 P_i との関係は，次式で示される．

$$P_i = d_{ij} T_j \quad (i=1, 2, 3 \quad j=1, 2, 3, 4, 5, 6) \tag{6-8}$$

木材の場合，セルロース結晶がほぼ繊維方向に配向する直交異方体と見なすと，圧電率は，d_{14} d_{25} d_{36} によって方向性が定められる[4]．圧電率の絶対値は温度の上昇とともに大きくなり，また含水率の増加とともに減少することが知られている．

6.6 電気的性質を利用した木材の含水率測定

これまで述べてきたように，木材の導電率，電気抵抗，誘電率といった電気的な性質は，木材中の水分量によって，その値は大きく変化する．また，吸湿木材の導電率，誘電率は，全乾木材のそれらに比べて圧倒的に大きい．この性質を利用して，木材の含水率を測定することができる．

第6節　電気的性質　　75

　導電率(電気抵抗)を利用した含水率計として，2針式あるいは，4針式の電気抵抗式含水率計が実用化され，いくつかのメーカーから市販されている。この方式では，5〜6％以下の低い含水率領域では，抵抗が著しく大きい，すなわち電気伝導が極めて小さいため抵抗値の測定が困難である。さらに，繊維飽和点以上の含水率では，含水率の増加に対する電気抵抗の低下の度合いが小さくなる。このことから，電気抵抗式の含水率計では，主に含水率6％付近から繊維飽和点(含水率約30％)以下の範囲の測定に適している。一方，含水率測定において，木材の密度の影響をほとんど受けないので，密度補正の必要がないことがこの方式の利点である。

　誘電率を利用した含水率計としては，電極を木材に押し当てて電気容量を測定する静電容量式含水率計が実用化されている。この方式は，測定時に材を傷つけない，電極間の平均的な値が求められる，繊維飽和点以上の含水率の測定が可能であるという長所から，現在含水率計としては最も普及している。木材の誘電率は，含水率が高くなるにつれて増大する一方，木材密度の影響も受ける。常温における誘電率に及ぼす木材密度および含水率の影響を図2-21に示す。この図から，同程度の含水率において，木材密度と誘電率との間には高い相関関係があることがわかる。すなわち，密度補正を行うことにより，誘電率から含水率を推定することができる。なお，この方式の測定では，電極が測定対象と確実に接触するように，接触面が平滑であり，さらに電極をしっかりと押し当てる必要がある。また，前に述べたとおり誘電率には異方性があるため，測定した含水率を比較するためには，常に一定の方向から計測しなければならない。

　静電容量式含水率計では，100kHz〜20MHzの周波数帯で測定を行っているが，より高い周波数帯を用いて水分量を測定する含水率計も存在する。木材中の自由水は，マイクロ波領域(300MHz〜300GHz)において，水分子の配向分極により内部損失が起こり，エネルギーの吸収が生じる。この性質を利用して，木材中の水分測定を行うのが，マイクロ波水分計である。マイクロ波領域の民生用利用は電波法により制限されており，マイクロ波水分計に用いられている周波数帯は10GHzあるいは20GHz付近に限られていること，マイクロ波は水分に吸収されやすいため，繊維飽和点以上の高含水率の木材の測定は難しいこ

となどが欠点であるが、繊維飽和点以下ではおおよそ適用可能である。

マイクロ波よりも高周波数帯を用いた測定としては、ミリ波(30 GHz～0.3 THz)、テラヘルツ波(0.3～3 THz)の研究が進められているが、実用化には至っていない。さ

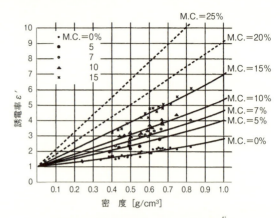

図2-21 木材の誘電率に及ぼす密度の影響[5]

らに周波数の高い領域である光の領域では、近赤外光(周波数120 THz～400 THz; 波長2.5μm～750 nm)を用いた木材の含水率評価の研究が進められている[6]。ただし、この方法による測定値は近赤外光が透過できる深さまでの情報しか得られないが、ラミナ等の含水率測定には十分に使用することができる。さらに周波数が高い領域であるX線(周波数30 PHz～3 EHz; 波長10 nm～100 pm)については、これまで医療用のX線CTを用いた含水率評価の研究が進められてきたが、近年装置の小型化や安全面の確保が進んだため、徐々に実用的に活用され始めている。

● 引用文献

1) 高橋徹、中山義雄編:"木材科学講座3 物理(第2版)"、海青社、52-53 (1995)
2) R. T. Lin: "Review of the dielectric properties of wood and cellulose", *For. Prod. J.*, **17**, 54-61 (1967)
3) 則元京ほか:昭和50年度科学研究費試験研究(1)資料「木材の誘電分散地図及び緩和スペクトルの作成とその利用に関する研究」(1976.3)
4) 平井信之、浅野猪久夫、祖父江信夫:"木材の圧電異方性"、材料、**22**, 948-955 (1973)
5) 上村武:"誘電率による木材含水率の測定に関する基礎的研究"、林業試験場研究報告、No. 119, 95-172 (1960)
6) S. Tsuchikawa, H. Kobori: "A review of recent application of near infrared spectroscopy to wood science and technology", *J Wood Sci.*, **61**, 213-220 (2015)

第7節　音響特性

　木材の音響特性は楽器および建材，特に音楽ホールや部屋の内装仕上げ材として使われる場合に関係する[1]。これは木材の音響特性が，音を楽しむことや心地良い音環境を作ることに適していることを示している。音源が振動して弾性体分子を振動させることで発生した弾性体分子の疎密が伝わる現象が音波（sound wave）である。

7.1　音速，弾性率，振動減衰率

　一般に物質の振動的性質は密度，弾性率（弾性係数，elastic modulus）および振動減衰率（decrement of vibration）によって定まる[2]。振動的性質は超音波の伝搬，縦振動，曲げ振動，振り振動などより得られる。

　固体中の音波の伝搬速度または音速（sound speed）c は，

$$c = \sqrt{\frac{E}{\rho}} \qquad （縦波） \tag{7-1}$$

$$c = \sqrt{\frac{G}{\rho}} \qquad （横波） \tag{7-2}$$

で表される[3]。E，G および ρ はそれぞれヤング率（Young's modulus），せん断弾性係数（shear modulus）および密度である。木材は密度が小さいわりにヤング率が大きいため，伝搬速度は鉄やアルミニウムと同程度である。また，木材中の音波の伝搬速度は樹種，繊維の方向，温度および含水率などの影響を受ける。繊維方向，半径方向および接線方向の音速はそれぞれ，およそ 3000-6000 m/s，1200-1800 m/s，700-1300 m/s である[2,4]。**図2-22** に木材中の音速の含水率依存性を示す[5]。

　材料への音の伝わりやすさを示す固有音響抵抗（specific acoustic resistance）R（特性インピーダンス characteristic impedance とも呼ばれ，小さいと音が伝わりやすい），振動が音に変換される程度を示す音響放射減衰率（dumping of sound radiation）D（大きいと振動エネルギーが音に変換されやすい）はそれぞれ

$$R = c\rho = \sqrt{E\rho} \tag{7-3}$$

で表される。**図2-23**のように，木材は金属，ガラス，粘土などの他材料と比較して固有音響抵抗が小さく音響放射減衰率が大きいため，音響変換効率に優れている。[4]

木材を打撃したとき，あるいは外部からの強制的な加振を停止したときには振動が減衰する。これは，木材の内部摩擦（粘性）により，振動エネルギーの一部が熱エネルギーになるためである。内部摩擦による対数減衰率（logarithmic decrement）λ（小さいと減衰しにくい）は

$$\lambda = \ln \frac{a_n}{a_{n+1}} \qquad (7\text{-}5)$$

で表される。a_n/a_{n+1}は減衰曲線における隣り合うピークの振幅比である（**図2-24**）。λをπで除した値は，内部摩擦を示す共振曲線の先鋭度の逆数Q^{-1}および与えたエネルギーに対する木材内部での消費エネルギーの比である損失正接（loss tangent）$\tan \delta$である。

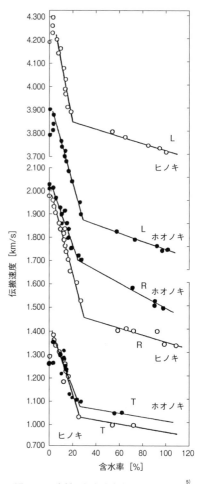

図2-22 木材の超音波速度と含水率の関係[5]

木材の対数減衰率は，樹種，含水率，方向，振動方法によって異なる。繊維方向の値は$1.5-3.5 \times 10^{-2}$程度[2]であり，半径方向の値は$3.0-9.0 \times 10^{-2}$程度[4]である。繊維方向のせん断の減衰率は純粋曲げの場合の3倍ほどである。[6] 含水率に対しては**図2-25**のように最小値を持ち，最小値を与える含水率は温度と共に低下することが知られている。[7] これに関して，全乾状態になる際に木材の分子鎖が不自然に屈曲するが，含水率の上昇と共に分子鎖の配列が向上するとい

第7節 音響特性

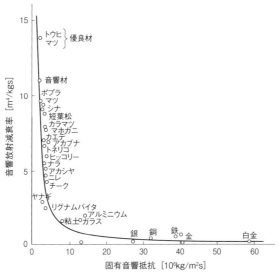

図2-23 材料の音響変換効率[2]

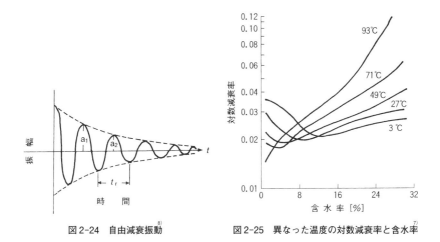

図2-24 自由減衰振動[8]　　図2-25 異なった温度の対数減衰率と含水率[7]

う考察がある[9]。加熱中の木材の物性の経時変化を知る目的で100℃以上の高温条件での測定も試みられている[10]。

木材は古くから楽器に使用されてきた。ピアノやヴァイオリンなどでは, 弦

表2-8 材料の音響特性(木材は繊維方向)[2-4, 11, 12)]

材　料	密　度 (kg/m³)	ヤング率 (GPa)	音　速 (m/s)	固有音響抵抗 (10⁶kg/m²s)	音響放射減衰率 (m⁴/kgs)	対数減衰率 (10⁻²)
スギ	345	6.52	4347	1.50	12.6	2.00
ヒノキ	437	7.41	4118	1.80	9.4	2.38
シトカスプルース	370〜500	12.00〜12.80	5400	2.43	15.4	1.88
カラマツ	539	8.94	4073	2.20	7.6	2.99
ケヤキ	589	9.00	3909	2.30	6.6	2.27
ブナ	645	10.37	4010	2.59	6.2	3.27
合板	600	10.4	4200	2.52	6.9	
パーティクルボード	770	3.6	3460	2.66	2.1	
MDF	750	3.0	2000	1.50	2.7	
石こうボード	700	2.5	1900	1.33	2.7	
コンクリート	2300	21.0	3020	6.95	4.3	
鋼	7800	210.0	5190	40.5	0.7	
アルミニウム	2800	74.0	5240	14.3	1.8	
空気	1.3	0.14	344	0.013	267	
水	1000	2.1	1500	1.50	1.5	

自体から出る音はそれほど大きなものではなく，その音が響板と呼ばれる板に伝わり，響板が共鳴して楽器の音になる。このため響板は楽器の性能を決定するもので，楽器の心臓部と言える。響板に多く用いられるのは，ドイツトウヒ，シトカスプルースやエゾマツといったトウヒ属である。響板はピアノでは弦の真下に配置され，ヴァイオリンなどでは楽器の表板が響板に相当する。木材を楽器響板に用いる際には，無欠点で木理が通直なこと，適切な年輪幅であることなど製作現場では非常に厳しい条件を設けている。響板に適した木材は，軽い(密度が小さい)，変形しにくい(弾性定数が大きい)，振動が長く続く(損失正接が小さい)とされている。これは，振動しやすく振動を吸収しにくい，すなわち弦の振動を効率良く音に変換できるということを意味する。

これらの条件を満たす木材は非常に限られており，現在，確保することが困難になってきている。そこで，代替材を探す努力や新しい木質系音響材料の開発が望まれ，例えば化学処理などが試みられている。[7, 13-15)]

木材および他材料の音響特性の例を表2-8に示す。

7.2　音場に対する性質

音波の伝搬している空間を音場(sound field)と言い，[3)]直接音に残響音を含めた全体的な音の特性を表す。[16)]遮音性(sound insulation)が優れていれば外部に音

が漏れず，また吸音性(sound absorbency)が適切であれば，心地良い残響が期待できる[17]。

壁体などにエネルギーIの音波が入射すると，一部Rが反射し，一部Aが壁体中に吸収され，残りTが透過するので，

$$I = R + A + T \tag{7-6}$$

で示される。

(1) 遮　　音

透過率τは，

$$\tau = \frac{T}{I} \tag{7-7}$$

であり，非常に小さい値になるので，音響透過損失(sound transmission loss, TL)

$$TL = 10 \log_{10} \frac{1}{\tau} \quad [\mathrm{dB}] \tag{7-8}$$

が用いられる。例えば$TL = 0$は遮音効果が全くないことを示し，$TL = 30$は入射した音エネルギーの1/1000が通り抜けることを示す[6]。音響透過損失は音源室と受音室の開口部に試験体を取り付け，両室内の音圧レベルを測定することによって求められる(JIS A 1416)[3]。

単一壁の遮音機構は**図2-26**のような4領域に分けられる[3,6]。

スティフネス制御領域吸音性(stiffness control region)(I)は，壁体の最も低い共振周波数f_{r1}付近より低い周波数の音に対する領域で，壁の剛性が高いほど音響透過損失は小さい。

抵抗制御領域(resistance control region)(II)は，f_{r1}付近からその2～3倍の周波数の領域で，音響透過損失は共振モード，反共振モードでそれぞれ減少，増大する。

質量制御領域(mass control region)(III)では壁体が音圧によっ

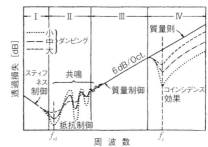

図2-26　単層壁の音響透過損失の周波数特性[3]

てピストン運動している。平面波(plane wave)が壁に垂直に入射するとき，

$$TL = 20 \log fm - 42.5 \tag{7-9}$$

となる。fは音の周波数，mは壁の面密度であり，壁の質量に依存するので質量則(mass law)という。周波数または重量が2倍になると音響透過損失は6 dB増大する。従って，低い音は通りやすく，高い音は遮断されやすく，[17] 一般的に重い壁や厚い壁の方が遮音性能に優れることになる。

音が斜めに入射するとき，入射角0〜90°の範囲を平均すると，

$$TL_m = TL_0 - 10 \log(0.23 TL_0) \tag{7-10}$$

となる。TL_0は(7-9)式による値である。実際の音場では入射角0〜78°の範囲を平均して近似した，

$$TL_m = TL_0 - 5 \tag{7-11}$$

の方が現実に近い。

コインシデンス効果領域(coincidence effect region)(Ⅳ)では音響透過損失が質量則による値より低下し極小値が現れる。この現象はコインシデンス効果(coincidence effect)と呼ばれる。質量則は壁が一様にピストン運動をすると仮定しているのに対し，音が壁に斜めに入射すると音圧の強弱が壁面に沿って移動するため壁が波打つ，すなわち屈曲振動する。音の波面間隔が壁の屈曲振動の波長と一致したときに壁が一種の共鳴振動(resonant vibration)を起こし，著しく遮音性能が低下する。

コインシデンス周波数(coincidence frequency)は，

$$f = \frac{c^2}{2\pi h \sin^2\theta} \sqrt{\frac{12\rho(1-\nu^2)}{E}} \tag{7-12}$$

となる。ここで，cは空気音速，hは壁厚，θは入射角，ρは壁の密度，νは壁のポアソン比，Eは壁のヤング率である。コインシデンス周波数は$\theta = 90°$すなわち水平入射のときに最小値

$$f_c = \frac{c^2}{2\pi h} \sqrt{\frac{12\rho}{E}} = \frac{c^2}{1.8hc_s} \tag{7-13}$$

第7節 音響特性

となり，これを限界周波数（critical frequency）と呼ぶ。ここで，c_s は壁体中の音速である。コインシデンス効果は f_c より低い周波数では生じないが，f_c より高い周波数では適当な θ に対して必ず生じる。

図2-27に計算による限界周波数と壁厚の関係を示す。壁が厚くなると限界周波数が低下し，遮音に重要な中低音域まで下がる可能性がある。

図2-28に音響透過損失の周波数依存性を示す。

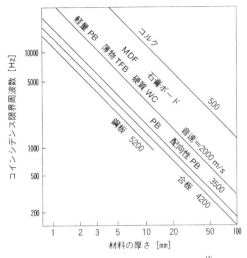

図2-27 材料の限界周波数と厚さの関係[12]

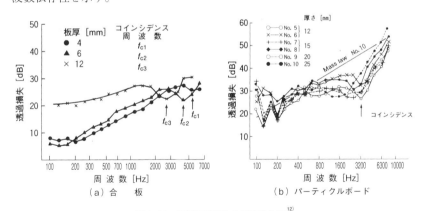

(a) 合板　　　　　(b) パーティクルボード

図2-28 音響透過損失の周波数依存性[12]

木質材料は一般に軽量であるため質量則によると単体としての遮音性能は低い。しかし，剛性の上昇や二重壁とすることなどで音響透過損失を向上させることができる。

(2) 吸　　音

吸音率は，

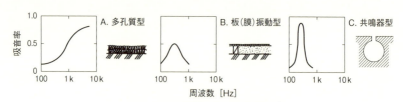

図2-29 吸音機構と吸音特性の概要[3]

$$\alpha = 1 - \frac{R}{I} \quad (7\text{-}14)$$

で表される。吸音率は,反射が全くなければ1で無響室となり,一方,吸音率が小さ過ぎると響き過ぎて言葉が聞き取りにくくなるため,部屋の吸音には適正な吸音率がある。

吸音機構は,**図2-29**に示す基本的な3種類に分類される。吸音構造にはこれらを組み合わせたものがある。多孔質型は,音波が入射して材料内部の空気が振動すると,細孔壁との摩擦や材料の振動が生じ,音エネルギーが消費されることで吸音効果が生じる。板(膜)振動型では,音波によって板(膜)が共振し,音エネルギーが消費される。共鳴型では孔部分で共鳴が生じて,孔部分の空気が激しく振動して縁との摩擦により音エネルギーが消費される。インシュレーションボードや木毛セメント板は多孔質型,大壁工法などほとんどの木質壁構造は板振動型,穴あき合板を用いた壁構造は共鳴器型である[3,4]。

吸音特性の測定方法には,小面積試料では垂直入射吸音率の手法(JIS A 1405)が,実大レベルではランダム入射吸音率の手法(JIS A 1409)がある[4]。

● 引用文献 ─────────

1) 岡野健:"木材の音響的性質",木材学会誌,**37**,991-998 (1991)
2) 森林総合研究所監修:"木材工業ハンドブック(改訂4版)",丸善,124-128 (2004)
3) 前川純一ほか:"建築・環境音響学(第3版)",共立出版,1-22, 70-91, 104-130 (2011)
4) 岡野健ほか編:"木材住環境ハンドブック",朝倉書店,185-258 (1995)
5) 南澤明子ほか:"木材の音速と水分挙動II",第41回日本木材学会大会研究発表要旨集,72 (1991)

第7節　音響特性　　　　　　　　*85*

6) 岡野健，祖父江信夫編：“木材科学ハンドブック”，朝倉書店，216-226（2006）

7) W. L. James：“Effect of temperature and moisture content on: Internal friction and speed of sound in Douglas-fir”, *Forest Prod. J.*, **11**, 383-390（1961）

8) 高橋徹，中山義雄編：“木材科学講座3 物理（第2版）”，海青社，57（1995）

9) 則元京：“木材構造とレオロジー”，平成6年度日本木材学会レオロジー研究会講演会要旨集，3-13（1994）

10) 久保島吉貴：“高温水蒸気中における木材特性のリアルタイム測定”，木材工業，**60**，620-624（2005）

11) 国立天文台編：“理科年表 平成29年”，丸善，434-437（2016）

12) 高橋徹：“木材の科学と利用技術 3. 居住性”，日本木材学会研究分科会報告書，267-281（1989）

13) 高橋徹ほか編：“木材科学講座5 環境”，海青社，67-76（1995）

14) 日本林業技術協会：“ウッディライフを楽しむ101のヒント”，東京書籍，108-109（2001）

15) 山田正編：“木質環境の科学”，海青社，117-144（1987）

16) 持田康典：“木造住宅の遮音・床衝撃音の防止”，音をつくる──音と楽器と音場の科学，日本工業新聞社，25（1987）

17) 岡野健：“木材のおはなし”，日本規格協会，50-56（1988）

第8節　光特性

8.1　木材の色

(1) 可視光域における分光反射率

　木材は波長380〜780 nmの可視光のうち，波長の大きい赤色寄りの成分をよく反射し，観察者の網膜に到達した反射光が赤・橙・黄系統の色知覚を生じさせる。そのため，木材の色は見た目に暖かさを感じさせる暖色に分類される。図2-30に材色の異なる6樹種の可視光域(400〜700 nmで測定)における分光反射率(spectral reflectance)曲線を示す。この6樹種の中で最も色白で明るい樹種であるトチは，全波長域で分光反射率が他の樹種よりも大きい。逆に，最も暗い樹種であるコクタンでは全波長域で反射率が小さい。ただし，いずれの材においても波長が大きくなるほど反射率が大きくなる点は共通している。また，短波長側の反射率が小さいことから類推されるように，木材は波長380 nm未満の紫外線の反射が少なく，目に優しい材料とされる。この特性は，裏を返せば細胞壁中のリグニンやポリフェノール類が紫外線を吸収しやすいことを意味しており，紫外線吸収に伴う分解反応によって木材は変色，劣化する。

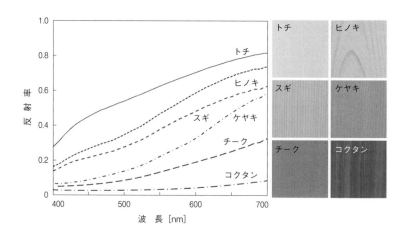

図2-30　可視光域における木材の分光反射率
イメージング分光装置によって測定された材面全体(約80 mm角)の平均的な分光反射特性が示されている。

第8節　光　特　性　　　　　　　　*87*

(2) 色の表し方

　木材の変色は可視光の下でも空気の存在によっても徐々に進行する。この材色の経年変化や，あるいは木質部材間の色のばらつきを定量的に把握するために，測色計を用いた材色の測定と色彩管理がしばしば行われる。同じ木材を見たとき，「木の色」という概念は共有されても，どのくらい明るいか，あるいは濃いかは，観察者の主観によって変わる。測色はこの曖昧さを解消する重要な手段である。

　色が測れるという事実は，一般的には意外かもしれない。しかし，18世紀初頭にアイザック・ニュートン(Isaac Newton)が著書「光学("Opticks")」の中で，プリズムを用いて太陽光を7色に分光する理論を展開し，色は物理的世界の事実ではなく感覚である，すなわち「光線に色はない」という名言を残して以来，物理光学の知見が種々得られてきた。また，19世紀に入って人間の色知覚が3原色に基づいていることなど生理光学の知見も蓄積されて，19世紀中頃より物理光学と生理光学をつなぐ測色学が始まる。そして，現代の測色学の基本となるのが，XYZ表色系における三刺激値X, Y, Z(tristimulus values XYZ)の導出である。

　XYZ表色系は1931年に国際照明委員会(CIE：Commission internationale de l'éclairage，本部・ウィーン)によって，標準表色系(standard color system)として開発された。定式化された導出の過程は色彩学の成書に譲るが，三刺激値の算出で重要なのは，測定対象を照明する光源の分光分布(spectral distribution, 任意の波長での光の強度)，測定対象の分光反射率(**図2-30**の曲線)，そして，人間の目の網膜に存在する3種類の光センサ(錐体)に対応した分光感度特性(等色関数)である。現代の測色計には，可視光域での分光分布が分かっている標準光源と，等色関数を組み込んだプロセッサが搭載されており，測定対象の分光反射強度から三刺激値X, Y, Zを求める作業を，ボタン操作ひとつで簡単に行えるようになっている。

　色は感覚的には「明るさ(brightness)」「鮮やかさ(chromaticness, colorfulness)」「色あい(tint, shade, hue)」の三属性で表される。三刺激値は，Yが明るさに対応するものの，鮮やかさおよび色合いと直接対応せず，また，2つの色がどのくらい異なるのかを数量的に表せない。そこで，XYZ表色系を数学的

に変換して，三刺激値の代わりにL^*，a^*，b^*の3つの値で色を表す$L^*a^*b^*$表色系が考案された。この表色系は木材の利用および研究の分野でも多用されており，測色計の多くは三刺激値と併せてL^*，a^*，b^*も示してくれる。

　L^*，a^*，b^*はそれぞれ互いに直交するL^*軸，a^*軸，b^*軸で表された3次元的な色空間(color space)の座標値である。ある2色の色の違いと別の2色の色の違いが同程度に見えるとき，前2色の空間距離と後2色の空間距離が等しくなるように，各軸は尺度化されている。そのため，任意の2色の違いを色差(color difference)という数値で示すことができる。$L^*a^*b^*$表色系では色の明るさ，鮮やかさ，色あいに，それぞれメトリック明度(metric lightness)L^*，メトリック彩度(metric chroma)C^*，メトリック色相角(metric hue angle)$H°$の心理メトリック量が対応する。また，a^*軸は正の方向が赤色，負の方向が緑色，b^*軸は正の方向が黄色，負の方向が青色に概ね対応している。

　$L^*a^*b^*$表色系における各値の算出は次式による。

$$\Delta E^*_{ab} = \sqrt{\Delta L^{*2} + \Delta a^{*2} + \Delta b^{*2}} \tag{8-1}$$

$$C^* = \sqrt{a^{*2} + b^{*2}} \tag{8-2}$$

$$H° = \tan^{-1}\left(\frac{b^*}{a^*}\right) \tag{8-3}$$

　ここでΔL^*，Δa^*，Δb^*は任意の2色間のL^*，a^*，b^*の差，ΔE^*_{ab}は色差である。色差ΔE^*_{ab}は$L^*a^*b^*$表色系における2色間の立体的な距離に相当する。また，メトリック彩度C^*は任意の色とa^*b^*平面の原点(L^*軸)との距離に，メトリック色相角$H°$は任意の色の$+a^*$軸からの離れ角である。なお，式8-1〜3は，国際照明委員会(CIE)が1976年に規定し，日本工業規格(JIS Z 8729)にも規格化されているCIE1976($L^*a^*b^*$)色空間に基づいている。CIE1976色差式で求められるΔE^*_{ab}は，色によっては知覚される色の違いとのずれが大きくなることが指摘されており，これを修正したCIE2000色差式による色差ΔE^*_{00}が提案されている。

　表2-9は$L^*a^*b^*$表色系で示された内外産有用73樹種の材色である[1]。また，**図2-31**は**図2-30**の6樹種を含む14樹種の材色を$L^*a^*b^*$表色系で表したものである。**図2-31**①には各樹種のL^*が示されており，当然のことながらL^*が

表2-9 内外産有用樹種(73樹種128試料)の色彩値(最小～平均～最大)[1]

樹　　種		L^*	a^*	b^*	C^*	$H°$ (度)
針葉樹材	国産材(11樹種30試料)	61～72～84	1～8～16	16～26～36	19～27～39	56～73～89
	外国産材(10樹種14試料)	65～71～79	4～7～10	24～28～32	25～29～33	68～75～82
広葉樹材	国産材(25樹種52試料)	50～67～82	1～7～15	15～24～50	16～25～50	55～74～88
	外国産材(27樹種32試料)	33～57～76	3～10～20	6～22～32	7～25～32	37～64～83
上記全体		33～66～84	1～8～20	6～24～50	7～26～50	37～71～89

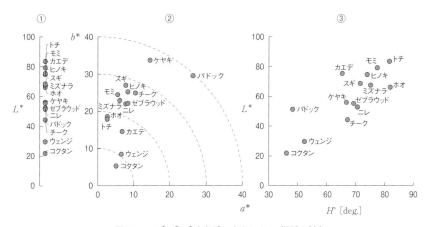

図2-31　$L^*a^*b^*$ 表色系で表された14樹種の材色
①L^*値, ②a^*b^*平面, ③$L^*H°$平面. イメージング分光装置によって測定された材面全体(約80mm角)の平均的な色彩値が示されている.

大きいほど材色は明るい. **図2-31**②はa^*とb^*の関係をa^*b^*平面にプロットしたもので, 原点から遠いほど材色が鮮やか(C^*が大きい)であり, 原点に近いほど無彩色に近づくことを意味している. また, a^*軸に近い($H°$が小さい)ほど材色の色相は赤色に近づき, b^*軸に近い($H°$が大きい)ほど黄色に近づく. $L^*a^*b^*$表色系で表された木材色の多くは, **図2-31**②のようにa^*b^*平面の第1象限に存在し, メトリック色相角$H°$の値は0～90の範囲に収まりやすい. **図2-31**③はそのメトリック色相角$H°$とメトリック明度L^*の関係で, $H°$が大きいほど, すなわち色相が黄色に近づくほど, 材色が明るくなっている. これは木材色に一般的な傾向である.

8.2 木材の光沢

(1) 鏡面光沢度

鏡や磨き上げられた金属表面などに一方向から入射した光は，そのほとんどが反射の法則にしたがって入射角(incident angle)に等しい角度で鏡面反射(正反射，specular reflection)される。ただし，一般的な材料の表面では，鏡面反射だけでなく，入射光が四方八方に反射される拡散反射(乱反射，diffuse reflection)も生じている。物体に入射した光の反射の形式は鏡面反射と拡散反射に大別され，反射光の輝度分布は図2-32のように模式的に表される。図2-32において，正反射がなく，材料内部への光の吸収もなく，入射光が全て拡散反射される理想的な反射面は完全拡散反射面と呼ばれる。ヒトの色知覚は拡散光によって生じるので，測色は鏡面反射光を除いた条件で行われることが多い。

一方，主として鏡面反射光の強さで評価されるのが光沢(gloss)である。光沢は材面の光を反射する性質に関係する，物体表面の属性のひとつである。また，「艶」「照り」「光沢感」などの心理的属性と対応づけられることが多い。一般に鏡面反射光の強い面は光沢が大きく，鏡面反射光の弱い面は光沢が小さい。この光沢の度合いを数値化したものが光沢度(glossiness)である。光沢のあまり大きくない面を評価する場合には，鏡面反射光の強さ，鏡面および拡散反射光の強さの比，拡散反射光の少なさなどが光沢度として用いられる。木材の光沢は鏡面光沢度で評価されることが多いが，塗装などによって材面の鏡面性が向上した場合には，写り込んだ像の鮮明さで評価されることもある。

鏡面反射光の強さは図2-33のような装置で測定される。図2-33において，

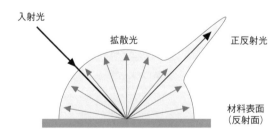

図2-32 材料表面における反射光の輝度分布(模式図)
一般的な材料表面での反射は鏡面反射(正反射)と拡散反射(乱反射)大別される。

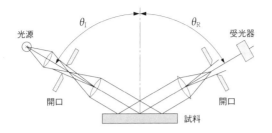

図2-33 光沢度測定装置の概念図
θ_{I}：入射角，θ_{R}：受光角，$\theta_{\mathrm{I}}=\theta_{\mathrm{R}}$のとき鏡面反射（正反射）。

入射角と受光角が等しい条件（$\theta_{\mathrm{I}}=\theta_{\mathrm{R}}$）で試料面からの鏡面反射光束（単位面積を単位時間内に通過する可視光線の量，flux of specular reflection）を測定することにより，次式で鏡面光沢度（specular glossiness）が求められる。

$$G_{\mathrm{S}}(\theta_{\mathrm{I}}) = (\varphi_{\mathrm{S}}/\varphi_{0\mathrm{S}}) \times (標準面の光沢度) \tag{8-4}$$

ここで$G_{\mathrm{S}}(\theta_{\mathrm{I}})$は入射角$\theta_{\mathrm{I}}$での鏡面光沢度（百分率で表す），$\phi_{\mathrm{S}}$は試料面からの鏡面反射光束，$\phi_{0\mathrm{S}}$は標準面からの反射光束である。

(2) 光沢の異方性

実際の鏡面光沢度測定では入射角θ_{I}が測定対象に応じて規定されている。木材の場合，高分子の測定条件に準じて45°または60°の入射角が用いられることが多い。鏡面光沢度は入射角と受光角の等しい単一条件で容易に得られるが，実験的に入射角や受光角を任意に変えた測定も行われる。**図2-34**は，木材試料の縦断面（まさ目面または板目面）への入射角を60°に固定し，受光角を0°～75°の範囲で変えた変角光沢度測定の例である。この場合，受光角60°での光沢度が鏡面光沢度である。なお，入射角や受光角は測定面の法線方向，すなわち材面と直交する方向を0°として示されており，材面からの離れ角ではないことに注意が必要である。

図2-34で注目すべきは光沢の異方性である。同一試料について繊維に平行および直交に入射したときの鏡面光沢度を比較すると，前者の方が大きい。材面に入射した光は細胞壁の断面または内腔面で反射される。このうち細胞内腔に入った光は，平行入射の場合は繊維方向に沿って鏡面反射しやすいが，直交

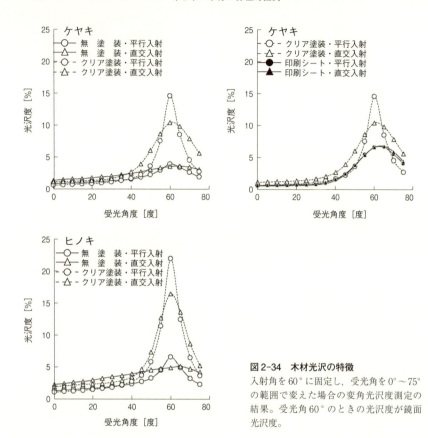

図 2-34 木材光沢の特徴
入射角を 60°に固定し，受光角を 0°〜75°の範囲で変えた場合の変角光沢度測定の結果。受光角 60°のときの光沢度が鏡面光沢度。

入射の場合は細胞壁に当たって乱反射しやすく正反射方向に出て行きにくい（図 2-35a，図 2-35b）。そのため，木材の鏡面光沢度は照明方向や観察方向によって変化する。また，材面を塗装すると塗膜面での反射が大きくなり，方向

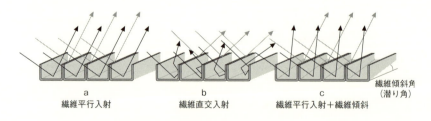

図 2-35 材面に入射した光の反射様式

第8節　光特性

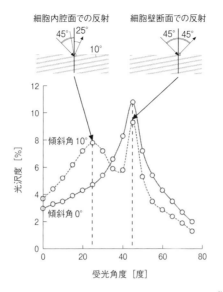

図 2-36　細胞壁断面および細胞内腔面での反射[2]
ミクロトーム仕上げされたヒノキまさ目面を入射角 45°で照明し、受光角を 0°〜75°の範囲で変えた場合の変角光沢度測定の結果。繊維が材面に対して 10°傾斜している試料では受光角 25°に内腔面由来の鏡面反射のピークが現れる。

による見え方の違いがいっそう明確になる。一方、木目柄が高精細に印刷されたシートにはこのような変化が現れていない。

さらに、木材の繊維が**図 2-35c**のように材面（切削面）に対して傾斜していると、入射光の反射はいっそう複雑になる。**図 2-36**はミクロトームで平滑に仕上げられたヒノキ材まさ目面を繊維平行方向に入射角 45°で照明し、受光角を 0°〜75°の範囲で変えた変角光沢度測定の例である[2]。繊維傾斜角が 0°の試料では受光角 45°でピークを示す単峰性の曲線であるが、繊維が 10°傾いた試料では受光角 25°にもピークが現れる双峰性の曲線となっている。これは細胞壁断面の法線方向と細胞内腔面の法線方向が 10°ずれていることに起因しており、内腔面では細胞壁断面とは別角度に鏡面反射が生じやすくなる。

トチやカエデなどに現れやすい縮み杢、南洋材によく見られる交錯木理、あるいは挽板の節周りなどで光沢が動的に変化する「照りの移動」が観察されるのも同様の理由による。これらの木理では切削面に対して繊維角度が目まぐる

しく変化しており，材面，照明，観察者の位置関係のわずかな変化で鏡面反射する位置が変わるのである。光沢の異方性や照りの移動は，生物材料である木材ならではの材面の見えの特性といえる。

●引用文献

1) 基太村洋子：“内外産有用木材の測色値”，林業試験場研究報告，No. 347，203-239 (1987)
2) 佐藤舞葉，仲村匡司：“ヒノキまさ目面の光沢特性：変角光沢測定と画像解析の対応”，材料，**60**，282-287 (2011)

第3章 木材の力学的性質

第1節 弾 性

　木材は古くから建築物や家具などの構造物の中で，力を負担する部材として重要な使われ方をしてきた。それは，「軽い割には強い」「急激には破損しない」「変形能力(エネルギー吸収能力)が大きい」など，持って生まれた構造材料としての特長に起因するところが大きい。それらの発現機構を知ることは，木材を「安全に」かつ「有効に」利用するために重要である。ここでは，木材の力と変形に関する基礎的事項，特に弾性について概説する。

　木材に力が加わると変形する。その力がまだ小さい時，木材の変形は弾性的性質を示すが，大きくなると，塑性的性質を示すようになる。さらに大きくなると変形も増大し，ついには力に耐えきれなくなって破壊する。弾性(elasticity)とは，荷重を受けて変形している材料が，荷重を取り去った時に元の形に戻る性質をいう。

1.1 応力とひずみ

(1) 応　　力

　物体に外力(荷重)(load)が加わると，物体中に抵抗する力(内力)(internal force)が発生し，それに応じて物体の形状と寸法の変化，いわゆる変形(deformation)が起きる。内力と外力とは釣り合った状態にあり，内力の大きさは物体が破損しない限り，外力の大きさと等しい。

　ここで，**図3-1**のような断面が長方形の棒の両端を，断面に対して垂直方向に(棒の軸方向に)P [N]の力で引っ張ったり(**図3-1**(a))，圧縮したりする場合を考えてみよう。そして，この棒を任意の場所で，力の方向と垂直な面で

切って2分したと仮定し，その1つの断面について考えてみよう。すると，その断面の垂直方向には，外力Pに抵抗しようとして，Pと逆向きの力が均一に働いており(**図3-1**(b))，その力を全部合わせたものが内力であり，Pの大きさに等しい。棒

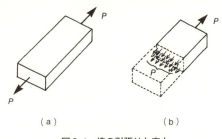

図3-1 棒の引張りと応力

の横断面の面積をAとすると，単位面積当たりの内力，すなわちP/Aを応力(stress)と定義し，単位は，N/m²あるいはPaである。応力は次の(3-1)式で示される。

$$\sigma = \frac{P}{A} \tag{3-1}$$

また，このような，断面に垂直方向に生じる応力を特に垂直応力(normal stress)といい，後に述べるせん断応力と区別する。

(2) ひずみ

どんな材料でも外力を加えると変形する。(外力を加えても変形しない仮想物体を剛体(rigid body)という。)軟らかいものは変形量が大きく，硬いものは小さい。いま，棒に引張力が加わって伸びた場合(**図3-2**(a))，元の長さに対する伸びの割合を表わしたとき，これを垂直ひずみ(normal strain)，または，単にひずみ(strain)という。長さを長さで割って求まるひずみには単位がない(無次元)。棒が圧縮力で縮んだときも同様に定義される(**図3-2**(b))。

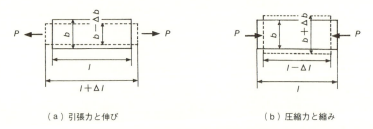

(a) 引張力と伸び　　　　　　　　(b) 圧縮力と縮み

図3-2 引張力・圧縮力とその伸び・縮み

元の長さをlとし，伸び(縮み)をΔlとすると(**図3-2**)，ひずみεは次のように表せる。

$$\varepsilon = \frac{\Delta l}{l} \tag{3-2}$$

(3) 縦弾性係数(ヤング率)

イギリスの物理学者ロバート・フック(Robert Hooke)は1678年にスプリングの実験で，外力と伸び(変形量)とがある範囲内で比例することを発見した。これが「フック(Hooke)の法則」である。

すなわち，外力(荷重)を引張応力(tensile stress)または圧縮応力(compressive stress)σとし，変形量を引張ひずみまたは圧縮ひずみεにおきかえると，フックの法則は，ある定数Eを使って次式で表される。

$$\sigma = E\varepsilon \tag{3-3}$$

ここで，比例定数Eは，縦弾性係数(modulus of longitudinal elasticity)，またはヤング率(ヤング係数：Young's modulus)という。応力σの単位はN/m^2[Pa]，そしてひずみεには単位が無いから，縦弾性係数の単位もN/m^2[Pa]になる。縦弾性係数は材料固有の定数であるが，木材のように方向によって異なったり，引張と圧縮とで異なる値を示す材料も存在する。

(4) 応力−ひずみ線図

木材の縦圧縮試験(繊維方向圧縮試験)で得られた応力とひずみの関係図の一例を，**図3-3**に示す。負荷初期には，応力とひずみの間には直線関係が認められる。直線域OPはフックの法則$\sigma = E\varepsilon$の成り立つ範囲で，直線の傾きσ/εは縦弾性係数(ヤング率)Eを表す。直線域の上限P点の応力を比例限度(proportional limit)という。また，除荷と同時に，生じたひずみが完全に消え去る応力の上限を弾性限度(elastic limit)という。弾性限度と同等，または，それより小さな応力のもとで荷重を除去すると，元の長さに戻る。この性質を弾性(elasticity)という。鋼材の応力−ひずみ線図上では弾性限度が比例限度近くに存在するが，木材では弾性限度が比例限度よりもはるかに小さい場合もあり，しかもその存在は必ずしも明確ではないので，弾性限度の特定を厳密に行う際には注意が必要である。

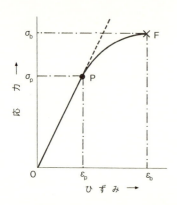

図3-3　応力-ひずみ線図

　さらに荷重が増加して応力が比例限度P点を超えると，応力の増加に対するひずみの増加割合が次第に増大することにより，直線から外れて曲線域に入る。このときに荷重を取り除いたとしても，元の長さに戻らず，若干のひずみが残留する。この性質を塑性（plasticity）といい，そのときのひずみを塑性ひずみ（plastic strain），あるいは永久ひずみ（permanent strain）という。

　最終的に，曲線は応力の最大到達点（F点）に至り，ついに破壊（fracture）する。このF点，すなわち，破壊するまでに現れる応力の最大値を極限強さ（ultimate strength）または単に強さ（強度）（strength）という。軟鋼などでは，極限強さを示したのち，応力の減少が続いて破壊に至るが，木材の場合は，負荷の方法および方向により，その挙動が異なる。特に横圧縮試験（木材の繊維直交方向圧縮試験）においては，細胞の圧壊および，それらの層状化過程が多様・複雑であるために，明確な極限強さを示さない場合が多い。

　また，応力-ひずみ線の下部の面積はひずみエネルギーを表す指標となる。このように応力-ひずみ線図は，材料の力学的性質についての様々な情報を提供する。

(5) ポアソン比

　材料が長軸方向に垂直荷重を受けると，その方向に垂直ひずみが生じると同時に，軸に垂直な方向にも長さの変化がある。この現象をポアソン効果（Poisson's effect）という。引張荷重（圧縮荷重）を受けると，力の方向には伸び

第1節 弾 性

表3-1 木材と他材料の弾性定数[1,2]

木材・材料	密度 (kg/m³)	含水率 (%)	縦弾性係数 (GPa)			ポアソン比						せん断弾性係数 (GPa)		
			E_L	E_R	E_T	ν_{LT}	ν_{TL}	ν_{LR}	ν_{RL}	ν_{RT}	ν_{TR}	G_{LR}	G_{TL}	G_{RT}
針葉樹材														
シトカスプルース	380	13	11.7	0.90	0.50	0.47	0.025	0.37	0.040	0.44	0.25	0.755	0.726	0.038
ダグラスファー	450–510	11–13	15.7	1.06	0.78	0.45	0.022	0.29	0.020	0.39	0.37	0.883	0.883	0.088
オウシュウアカマツ	550	10	16.3	1.10	0.57	0.51	0.015	0.42	0.038	0.68	0.31	1.157	0.677	0.066
スギ	330	15.0	7.35	0.59	0.29	0.60	—	0.40	—	0.90	—	0.637	0.343	0.015
エゾマツ	390	15.0	10.79	0.83	0.44	0.60	—	0.40	—	0.65	—	0.539	0.441	0.020
アカマツ	510	13.5	11.77	1.23	0.64	0.60	—	0.40	—	0.65	—	0.981	0.539	0.044
広葉樹材														
バルサ	130	10	3.7	0.18	0.06	0.49	0.009	0.23	0.018	0.67	0.23	0.206	0.137	0.020
イエローポプラ	380	11	9.7	0.89	0.41	0.39	0.019	0.32	0.030	0.70	0.33	0.726	0.667	0.110
マホガニー	500	11	11.4	1.22	0.74	0.53	0.034	0.31	0.033	0.60	0.33	0.981	0.755	0.317
ブナ	620	14.5	12.26	1.32	0.59	0.50	—	0.40	—	0.65	—	0.981	0.637	0.196
ミズナラ	700	14.5	11.28	1.42	0.74	0.60	—	0.40	—	0.60	—	0.932	0.686	0.147
ケヤキ	700	13.5	10.30	1.86	1.23	0.60	—	0.40	—	0.60	—	1.128	0.834	0.441
鉄鋼	7870	—	201–216			0.28–0.30						78–84		
ポリエチレン	920–970	—	0.4–1.3			0.458						0.26		
ゴム	910–960	—	$(1.5-5.0)\times10^{-3}$			0.46–0.49						$(5-15)\times10^{-4}$		
ガラス	2200–3600	—	71.3			0.22						29.2		

（縮み）を生じるが，これと垂直の方向では縮み（伸び）を生じる。いま，長さlと幅bの角棒を軸方向に力Pで引張るとき（**図3-2**），力の方向にΔlだけ伸びるが，力と垂直方向では最初の幅bはΔbだけ縮む。圧縮の場合は，Δlだけ縮むが，垂直方向ではΔbだけ伸びる。力の方向のひずみεは$\Delta l/l$であるが，力と垂直方向のひずみε'は$\Delta b/b$である。

力の方向のひずみε（縦ひずみ，longitudinal strain）と，力と垂直方向のひずみε'（横ひずみ，transversal strain）との比は無次元の物質定数で，ポアソン比（Poisson's ratio）という。ポアソン比をνとすると，

$$\nu = -\frac{\varepsilon'}{\varepsilon} \qquad (3\text{-}4)$$

εとε'とは，通常，いずれか一方を伸びとすると他方は縮みとなるので，その比は負である。

弾性限度内ではポアソン比は材料によって固有の値で，鉄鋼は0.3，ゴムは0.4～0.5程度の値である。木材と他材料のポアソン比を**表3-1**に示す。

木材のポアソン比は縦ひずみと横ひずみの組み合わせによって大きく異なる

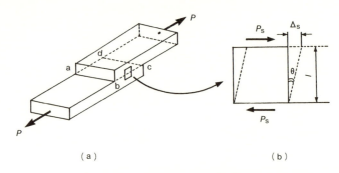

図3-4 せん断作用とせん断変形

が，これについては後述する．等方体では，ポアソン比が0.5の物質は変形による体積変化はないことを意味する．また，ポアソン比の逆数をポアソン数(Poisson's number)と定義する．

(6) せん断応力

材料に力Pが働くとき，**図3-4**(a)に示すように，互いにずれを起こすように働く作用をせん断(shear)という．せん断を起こす応力をせん断応力(shearing stress)という．図ではabcd面の上面と下面では力が互いに反対方向に働き，すべり動かすように作用する．せん断応力は，面内どこでも一様に生じているとは限らない．この面(面積A)内でのせん断応力分布が一様であると見なせる時，せん断応力τは次式で与えられる．

$$\tau = \frac{P}{A} \qquad [\mathrm{N/m^2\,またはPa}] \tag{3-5}$$

せん断部分を拡大したのが**図3-4**(b)である．せん断力P_sが働くと，上の面は下の面に対してΔsだけずれる．Δsはせん断によって起こる変形量である．幅lに対してΔsだけせん断変形したとき，その比をγとすれば，

$$\gamma = \frac{\Delta s}{l} \tag{3-6}$$

をせん断ひずみ(shearing strain)という．**図3-4**(b)で角度θ(ラジアン単位)に注目すると，せん断による変形量が十分に小さいときは，$\gamma = \theta$となる．

せん断応力とせん断ひずみの関係は次式で与えられる．

$$\tau = G\gamma \qquad [\text{N/m}^2 \text{またはPa}] \tag{3-7}$$

このときの比例定数Gをせん断弾性係数(modulus of shearing elasticity, shear modulus)という。

せん断応力は面内で作用し，前述した垂直応力は面に垂直方向に作用する。したがって，面に対してあらゆる方向に作用する力は，せん断応力と垂直応力の合力として表現することができる。

1.2　弾性的性質

木材は高次元の複合材料である。したがってその構成単位は，巨視的な部材レベルから，年輪，細胞，細胞壁，壁層構造，ミクロフィブリル－マトリックス構造へと，マクロからミクロに至る様々な単位が対象となる。外力が加わったとき，木材は天然の複合材料として特有の力学的挙動を示す。

(1) 直交異方性弾性

木材は方向により弾性的性質の異なる異方性材料(anisotropic material)である。木材の弾性は，その組織構造的な特徴から，**図3-5**に示すような直交3軸の座標系(x, y, z軸)を使い，接線方向(T方向)，繊維方向(L方向)，放射方向(R方向)の3つの弾性主軸と一致させて表すことができる。したがって，鋼材のような等方性材料(isotropic material)と比較して，木材は典型的な直交異方性材料(orthotropic material)のひとつであるといえる。

1軸応力状態においてフックの法則が成立し，応力とひずみが比例する範囲では，それらが複合化した2軸または3軸応力状態でも，同様の比例関係が成り立つ。木材(立方体)の3つの面，すなわち，まさ目面(LR面)，板目面(LT面)，木口面(RT面)に作用する3軸状態の応力成分を表すと，**図3-5**に示すように，垂直応力σ_iとせん断応力τ_{ij}に分解できる。ここで，σ_iの添え字は応力の方向を表す。τ_{ij}の一番目の添え字iはせん断応力が作用する面に垂直な方向(法線方向)を表し，二番目のjは作用する方向を表す。弾性体におけるせん断応力では$\tau_{ij} = \tau_{ji}$が成立するので，実際にはσ_x，σ_y，σ_z，τ_{yz}，τ_{zx}，τ_{xy}の6個の成分によって応力状態が定まる。ひずみも，それに対応してε_x，ε_y，ε_z，γ_{yz}，γ_{zx}，γ_{xy}の6個の成分によって定まる。

このような3軸応力状態でのひずみと応力の関係は，一般化したフックの法

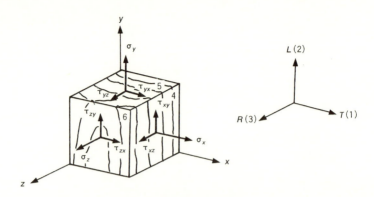

図3-5 木材の直交3軸応力状態
(数字は木材の各方向と面を表す。1=T=x, 2=L=y, 3=R=z, 4はLR面, 5はRT面, 6はLT面であることに注意)

則によって表し，木材のような直交異方性材料では，

$$\begin{bmatrix} \varepsilon_x \\ \varepsilon_y \\ \varepsilon_z \\ \gamma_{yz} \\ \gamma_{zx} \\ \gamma_{xy} \end{bmatrix} = \begin{bmatrix} S_{11} & S_{12} & S_{13} & 0 & 0 & 0 \\ S_{21} & S_{22} & S_{23} & 0 & 0 & 0 \\ S_{31} & S_{32} & S_{33} & 0 & 0 & 0 \\ 0 & 0 & 0 & S_{44} & 0 & 0 \\ 0 & 0 & 0 & 0 & S_{55} & 0 \\ 0 & 0 & 0 & 0 & 0 & S_{66} \end{bmatrix} \begin{bmatrix} \sigma_x \\ \sigma_y \\ \sigma_z \\ \tau_{yz} \\ \tau_{zx} \\ \tau_{xy} \end{bmatrix} \quad (3\text{-}8)$$

と行列の形で書き表せる。ここで，S_{ij} は弾性コンプライアンス (elastic compliance) と呼ばれており，$S_{ij}(i, j=1,2,3)$ の i はひずみ成分，j は応力成分のそれぞれの方向を示す。例えば**図3-5**の定義に従うならば，S_{13} はひずみ方向 1(=T)，応力方向 3(=R) の弾性コンプライアンスである。また，S_{44}, S_{55}, S_{66} は，それぞれの面 (4 は LR 面，5 は RT 面，6 は LT 面) でのせん断に関わる弾性コンプライアンスを表す。

つぎに，弾性コンプライアンス S_{ij} と，弾性定数 (縦弾性係数 E，せん断弾性係数 G，ポアソン比 v) との関係を求めてみよう。

縦弾性係数と弾性コンプライアンスとの関係は，以下で表せる。

$$S_{11} = \frac{1}{E_{x(T)}}, \quad S_{22} = \frac{1}{E_{y(L)}}, \quad S_{33} = \frac{1}{E_{z(R)}} \tag{3-9}$$

せん断弾性係数と弾性コンプライアンスとの関係は、以下で表せる。

$$S_{44} = \frac{1}{G_{yz(LR)}}, \quad S_{55} = \frac{1}{G_{zx(RT)}}, \quad S_{66} = \frac{1}{G_{xy(TL)}} \tag{3-10}$$

直交異方性材料では、ポアソン比が3軸方向での縦ひずみと横ひずみの組み合わせで合計6個得られる。このポアソン比ν_{ij}と弾性コンプライアンスとの関係を求めると、

$$-\nu_{xy(TL)} = \frac{S_{21}}{S_{11}}, \quad -\nu_{xz(TR)} = \frac{S_{31}}{S_{11}}, \quad -\nu_{yz(LR)} = \frac{S_{32}}{S_{22}},$$

$$-\nu_{yx(LT)} = \frac{S_{12}}{S_{22}}, \quad -\nu_{zx(RT)} = \frac{S_{13}}{S_{33}}, \quad -\nu_{zy(RL)} = \frac{S_{23}}{S_{33}} \tag{3-11}$$

となる。ただし、ν_{ij}の添え字iは応力と同じ方向に生じる縦ひずみの方向、jは横ひずみの方向をそれぞれ示す。

以上をまとめると、(3-8)式は以下のように表現できる。

$$
\begin{bmatrix} \varepsilon_T \\ \varepsilon_L \\ \varepsilon_R \\ \gamma_{LR} \\ \gamma_{RT} \\ \gamma_{TL} \end{bmatrix} =
\begin{bmatrix}
\frac{1}{E_T} & -\frac{\nu_{LT}}{E_L} & -\frac{\nu_{RT}}{E_R} & 0 & 0 & 0 \\
-\frac{\nu_{TL}}{E_T} & \frac{1}{E_L} & -\frac{\nu_{RL}}{E_R} & 0 & 0 & 0 \\
-\frac{\nu_{TR}}{E_T} & -\frac{\nu_{LR}}{E_L} & \frac{1}{E_R} & 0 & 0 & 0 \\
0 & 0 & 0 & \frac{1}{G_{LR}} & 0 & 0 \\
0 & 0 & 0 & 0 & \frac{1}{G_{RT}} & 0 \\
0 & 0 & 0 & 0 & 0 & \frac{1}{G_{TL}}
\end{bmatrix}
\begin{bmatrix} \sigma_T \\ \sigma_L \\ \sigma_R \\ \tau_{LR} \\ \tau_{RT} \\ \tau_{TL} \end{bmatrix} \tag{3-12}
$$

さらに、弾性体としての木材でもマクスウェル(Maxwell)の相反定理が成立すると仮定すると、$S_{ij} = S_{ji}$が成り立つことから、つぎの関係が得られる。

$$\frac{\nu_{LT}}{E_L} = \frac{\nu_{TL}}{E_T}, \quad \frac{\nu_{LR}}{E_L} = \frac{\nu_{RL}}{E_R}, \quad \frac{\nu_{RT}}{E_R} = \frac{\nu_{TR}}{E_T} \tag{3-13}$$

これまでに述べてきたように、直交異方性材料である木材の弾性的挙動を表すためには、3個の縦弾性係数(E_L, E_R, E_T)、3個のせん断弾性係数($G_{LR(RL)}$, $G_{LT(TL)}$, $G_{RT(TR)}$)、そして6個のポアソン比(ν_{LT}, ν_{TL}, ν_{LR}, ν_{RL}, ν_{RT}, ν_{TR})のうち独立したポアソン比3個(ν_{LT}, ν_{LR}, ν_{RT})の合計9個の弾性定数が少なくとも

必要となる。

　なお，木材の３つの弾性主軸(L，R，T方向)が，その座標軸から或る角度だけ回転したときには，新しい座標系での弾性コンプライアンスS_{ij}'を，3-8式中の弾性コンプライアンスS_{ij}とその方向余弦から求めることができる[3]。

　(2) 木材の弾性定数の特徴

　縦弾性係数(ヤング率)Eやせん断弾性係数G，ポアソン比νなどを弾性定数(elastic constant)といい，材料に固有の値である。第２節で述べるクリープなどの時間依存性負荷を与えられた場合に，時間によって変化しない定数である。ここでは，これらの弾性定数間の関係比などを概説し，指標的な意味での評価を行う。

　生物材料である木材の直交異方性弾性に注目して，その弾性定数を**表3-1**に示す。この表からわかるように，木材の縦弾性係数は，繊維方向(L)が放射方向(R)や接線方向(T)に比べてはるかに大きく，その比は平均して$E_L : E_R : E_T \fallingdotseq 22 : 2 : 1$[4]となっている。木材を構成する細長い紡錘形の細胞の大部分は繊維方向に配列している。したがって，E_Lは，E_RおよびE_Tに比べてはるかに大きくなると考えられる。また，E_RとE_Tの違いについては，木材の接線方向に配列する細胞は存在しないこと，および，木口面で観察される放射方向と接線方向での細胞配列の相違，などが理由として挙げられている。

　せん断弾性係数Gの異方性は，広葉樹材に比べて，針葉樹材で著しい。すなわち，針葉樹材のまさ目面，板目面および木口面の面内せん断弾性係数の比をとると，$G_{LR} : G_{LT} : G_{RT} \fallingdotseq 21 : 17 : 1$[4]となり，木口面内せん断弾性係数($G_{RT}$)の値が極めて小さい。この$G_{RT}$は，いわゆるローリング・シアー(rolling shear)に関わる定数であり，その値は木材の組織構造と極めて関係が深く，特に木材の面材としての利用に多大の影響を与える。一方，広葉樹材では，$G_{LR} : G_{LT} : G_{RT} \fallingdotseq 4.3 : 3.2 : 1$[4]となり，針葉樹材に比べて，その異方性は小さい。なお，繊維方向の縦弾性係数E_Lと板目面内せん断弾性係数G_{LT}との比は，針葉樹材では$E_L : G_{LT} \fallingdotseq 20.0 : 1$[4]，広葉樹材では$E_L : G_{LT} \fallingdotseq 15.6 : 1$[4]である。

　木材のポアソン比νは，一般に他の材料に比べて大きく，木材の組織構造的な特徴をよく表している定数である。材料の密度，強度，あるいは他の弾性定数との関係性は低いが，木材の多孔構造(ハニカム構造)[5]や含水率[6]に影響される。

直交異方性弾性にも強く影響され，樹種によっては繊維傾斜のある材のポアソン比が負の値を取ることも報告されている[7]。**表 3-1** に示すように，ν_{RT} の値はしばしば 0.5 を超えることが多く，逆に，共に横ひずみ方向が L 方向である ν_{TL} と ν_{RL} の値は著しく小さい。

●引用文献────────

1) 森林総合研究所監修：“木材工業ハンドブック（改訂4版）”，丸善，133-138（2004）
2) 国立天文台編：“理科年表 平成29年”，丸善，385-397（2016）
3) J. Bodig, B. A. Jayne：“Mechanics of wood and wood composites”, Van Nostrand Reinhold, 87-126（1982）
4) 澤田稔：“木材の変形挙動”，材料，**32**，838-847（1983）
5) 師岡淳郎ほか：“多孔複合体のポアソン比”，材料，**28**，635-639（1979）
6) M. Mizutani, K. Ando：“Influence of a wide range of moisture contents on the Poisson's ratio of wood”, *J. Wood Sci.*, **61**, 81-85（2015）
7) A. Sliker, Y. Yu：“Elastic constants for hardwoods measured from plate and tension tests”, *Wood Fiber Sci.*, **25**, 8-22（1993）

第2節　粘弾性

2.1　粘弾性材料としての木材

フックの法則にしたがう弾性体としての性質だけではなく，木材の変形は荷重経過に影響を受ける。このような変形を取り扱う学問分野がレオロジー(rheology)であり，履歴が関係する成分は粘性(viscosity)と呼ばれる。木材は弾性と粘性の両方の成分を持つ粘弾性材料(viscoelastic material)である。実際に構造体として利用され，長期間荷重が負荷された場合には時間経過とともに変形量

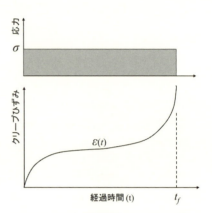

図3-6　クリープ破壊現象；t_f クリープ破壊に至る時間

が増大し，長い時間を経て破壊に至る。このような時間経過に依存する変形をクリープ(creep)といい，クリープによって生じる破壊はクリープ破壊(creep fracture)と呼ばれる(図3-6)。長い年月を経た木製本棚は大きくたわみ，古い寺社仏閣の軒が下がっているのはクリープ変形によるものである。また，鉄骨木質構造で木材をボルトで鉄骨部材に固定したとき，時間経過とともにボルトが緩んでしまう現象が知られている。木材に一定の変形を加えることで生じる応力によって木材を固定していたのが，時間経過とともに応力が減少し保持力を失う。これは応力緩和(stress relaxation)と呼ばれ，粘弾性材料の特徴の一つである。

粘弾性挙動は荷重経過時間だけでなく温度や含水率の履歴の影響も受ける。通常の使用条件，例えば50℃以下では，木材では温度の影響は非常に小さく，含水率の変化の影響に比べて無視できる。逆に含水率変化の影響は顕著で，含水率変化が加わるとクリープ変形が多くなり，メカノソープティブクリープ(mechanosorptive creep)と呼ばれる。また，屋根裏などの特殊な空間，または木材乾燥や塑性加工の工程では非常に高温になる場合がある。この場合には温

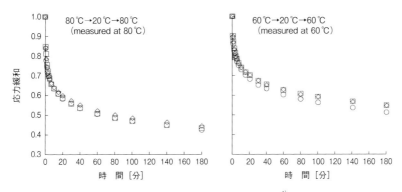

図3-7 温度履歴による応力緩和の違い[1]

○：左図 80℃ 一定／右図 60℃ 一定
□：左図 80℃→20℃(1分)→80℃(1分)／右図 60℃→20℃(1分)→60℃(1分)
◇：左図 80℃→20℃(3分)→80℃(1分)／右図 60℃→20℃(3分)→60℃(1分)
なお，上の表示において，例えば，80℃→20℃(1分)→80℃(1分)は，80℃一定の水中で長時間保持した試験片を，20℃の恒温水槽に移して1分後に再び80℃の水中に戻して1分後から行った応力緩和試験の結果を意味する．

度履歴も無視できなくなる．

　木材は高分子材料のひとつと考えられる．高分子材料では結晶性が大きく分子の自由度が小さい場合には応力の緩和に必要な時間(緩和時間：relaxation time)は長く，分子の自由度が大きく形態変化の起こりやすい場合には緩和時間は短い．このような性質から応力緩和を調べることで分子の動きやすさが判断できる．図3-7は温度履歴の異なる木材の応力緩和を示している．温度変化の違いによって分子の運動性に違いがあることがわかる．

2.2　粘弾性の基礎式

　高分子材料である木材では，ゴムや金属製バネのように外力を加えるとそれに応じて変形する成分と，外力と変形速度が関係する成分がある．前者は弾性変形(elastic deformation)と呼ばれ，フック(Hooke)が1600年に実験的に見出した"フックの法則"に従う．

$$\sigma = E\varepsilon \qquad (2\text{-}1)$$

この式に従えば応力 σ はひずみ ε に比例し，ヤング率(Young's modulus)と呼

ばれる比例定数は，固体に単位変形を引き起こすために必要な応力を意味する。逆数($1/E$)は一般的にコンプライアンス(compliance)と呼ばれる。弾性変形によって物体内に蓄えられたエネルギーは外力を除くと変形の回復とともに解放される。

一方，流体(液体および気体)は外力を加えられると流動変形(flow deformation)するが，荷重を取り除くとその位置で静止する。通常の液体では外力と流動速度が比例するとされ，1687年にニュートン(Newton)によって提唱された"ニュートンの粘性法則"に従う。

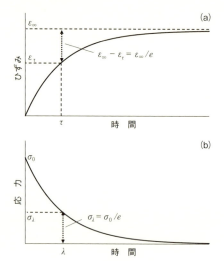

図3-8 クリープ変形(a)と応力緩和(b)

$$\sigma = \eta \frac{d\varepsilon}{dt} \qquad (2\text{-}2)$$

ここでηは粘性率(coefficient of viscosity)または粘度(viscosity)とよばれ，変形速度($d\varepsilon/dt$)の比例定数として流体の流れにくさを示す。逆数($1/\eta$)は流動度(fluidity)と呼ばれ流れやすさとされる。

木材は固体の弾性と流体の粘性を合わせ持ち，粘弾性(viscoelasticity)を持つ材料の一つである。簡単なモデルとしては，弾性のバネと粘性のダッシュポット(dashpot：粘性摩擦により動きに抵抗するダンパー)を直列につないだマクスウェル(Maxwell)型と，それらを並列につないだフォークト(Voigt)型がある。

2.3 クリープ

粘弾性体に瞬間的に一定応力を与えると極めて弾性的にふるまい，応力に比例した変形(ひずみ)が生じる。その後，その応力を維持すると粘性流体(viscous fluid)のように振る舞ってひずみが増加する(図3-8)。このような時間的変形の増加をクリープ(creep)と呼び，フォークト(Voigt)の方程式とよばれる粘弾性方程式で示される。フォークトモデル(Voigt model)は，バネ成分(ヤング率E)

とダッシュポット成分(粘性率η)の並列モデルで表される(図3-9)。バネ成分の応力σ_Sとダッシュポッド成分σ_Dの和が系全体の応力となり、以下の式が導かれる。

$$\sigma = \sigma_S + \sigma_D = E \cdot \varepsilon + \eta \cdot \frac{d\varepsilon}{dt} \quad (2\text{-}3)$$

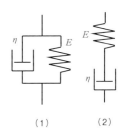

図3-9 力学モデル
(1)フォークト要素
(2)マクスウェル要素

ここで添え字のSとDはそれぞれバネ成分とダッシュポット成分を示す。この系に、一定応力σ_0を加えると、その後に時間tに依存する遅延変形(delayed deformation)$\varepsilon(t)$が生じる。

$$\varepsilon(t) = \frac{\sigma_0}{E}\left[1 - \exp\left(-\frac{t}{\tau}\right)\right] \quad (2\text{-}4)$$

ここで、$\tau = \eta/E$は遅延時間(retardation time)である。$t = \tau$および$t = \infty$のときのひずみをそれぞれε_τおよびε_∞とすると次式が成り立ち、遅延時間は平衡($t=\infty$)に達するまでのひずみがε_∞/eとなる時刻(時間)を意味する。

$$\varepsilon_\infty - \varepsilon_\tau = \frac{\varepsilon_\infty}{e} \quad (2\text{-}5)$$

ひずみ$\varepsilon(t)$を一定応力σ_0で除した値をクリープコンプライアンス(creep compliance)$J(t)$と定義する。

$$J(t) = \frac{\varepsilon(t)}{\sigma_0} = \frac{1}{E}\left[1 - \exp\left(-\frac{t}{\tau}\right)\right] \quad (2\text{-}6)$$

2.4 応力緩和

粘弾性体に瞬間的に一定変形を与えると弾性的変形により応力が生じる。その後、その変形を維持すると粘性流体のように振る舞い応力が減少する(図3-8)。このような現象は、最も簡単なモデルとしてバネ成分(ヤング率E)とダッシュポット成分(粘性率η)の直列モデルで表され、応力緩和(stress relaxation)と呼ばれる(図3-9)。マクスウェル(Maxwell 1868)がこの考え方を初めて示したのでマクスウェルモデル(Maxwell model)と言われ、応力緩和を示す粘弾性方程式は以下のようになる。

$$\varepsilon = \varepsilon_S + \varepsilon_D \tag{2-7}$$

$$\frac{d\varepsilon}{dt} = \frac{1}{E} \cdot \frac{d\sigma}{dt} + \frac{1}{\eta} \cdot \sigma \tag{2-8}$$

この微分方程式から以下の指数関数が導かれ，この系に一定ひずみ ε_0 を加えると，その後に時間 t に依存して指数関数的に応力が低下する。

$$\sigma(t) = \sigma_0 \cdot \exp\left(-\frac{t}{\lambda}\right) \tag{2-9}$$

ここで σ_0 は初期応力であり，$\lambda = \eta/E$ は緩和時間（relaxation time）と呼ばれる。$t = \lambda$ だけ経過した時の応力は以下となる。

$$\sigma(\lambda) = \frac{\sigma_0}{e} \tag{2-10}$$

つまり緩和時間とは，応力が初期の $1/e$ になるまでの時間である。応力を一定ひずみで除した値を緩和弾性率（relaxation modulus）$E(t)$ と呼ぶ。

$$E(t) = \frac{\sigma_0(t)}{\varepsilon_0} = E \cdot \exp\left(-\frac{t}{\lambda}\right) \tag{2-11}$$

2.5 一般化したクリープモデルおよび緩和モデル

実際の材料のクリープ変形を解析することは先に述べたような単純なモデルでは困難であり，フォークト要素を直列につないだ一般化フォークトモデル（generalized Voigt model）が必要である。一般化モデルに一定応力 σ_0 を加えると，i 番目の要素のクリープの式は次となる。

$$\varepsilon_i(t) = \frac{\sigma_0}{E_i}\left[1 - \exp\left(-\frac{t}{\tau_i}\right)\right] \tag{2-12}$$

ここで，$\tau_i = \eta_i/E_i$ である。クリープモデル全体のクリープは次式となる。

$$\varepsilon(t) = \sum_{i=1}^{n} \frac{\sigma_0}{E_i}\left[1 - \exp\left(-\frac{t}{\tau_i}\right)\right] = \sigma_0 \sum_{i=1}^{n} J_i\left[1 - \exp\left(-\frac{t}{\tau_i}\right)\right] \tag{2-13}$$

ここで J_i は i 番目の要素のクリープコンプライアンスである。試験体全体としては離散値ではなく，連続的に変化する遅延時間 τ_i に対応する無数の緩和機構が存在していると考える（無数のフォークト要素がある）。つまり遅延時間 τ_i の連続的分布を考えることで一般化できる。

$$J(t) = J(0) + \int_0^\infty L(\tau) \left[1 - \exp\left(-\frac{t}{\tau}\right) \right] d\tau \tag{2-14}$$

$L(\tau)$は遅延時間の分布を示す関数で遅延スペクトル（retardation spectrum）と呼ばれる。また，$J(0)$は負荷直後のコンプライアンスで瞬間クリープコンプライアンス（instantaneous creep compliance）と呼ばれる。応力緩和でも同様に一般化を行い，マクスウェル要素を並列にならべた一般化マクスウェルモデルを考える。一般化したモデルでは緩和弾性率$E(t)$は以下のように表される。

$$\sigma(t) = \varepsilon_0 \cdot \sum_{i=1}^n E_i \exp\left(-\frac{t}{\lambda_i}\right) \tag{2-15}$$

ここで，$\lambda_i = \eta_i / E_i$である。一般化フォークトモデル同様に緩和時間λは連続的に分布すると考えて，以下の一般化マクスウェルモデル（generalized Maxwell model）の緩和弾性率を得る。

$$E(t) = E(0) + \int_0^\infty H(\lambda) \exp\left(-\frac{t}{\lambda}\right) d\lambda \tag{2-16}$$

$H(\lambda)$は緩和弾性率の分布を示す関数で緩和スペクトル（relaxation spectrum）と呼ばれる。また，$E(0)$は変形直後の弾性率で瞬間弾性率（instantaneous Young's modulus）と呼ばれる。

2.6 遅延スペクトルおよび緩和スペクトル

遅延時間や緩和時間の分布は非常に広い範囲に及ぶので，遅延スペクトルおよび緩和スペクトルでは対数で取り扱われることが多い。

$$J(t) = J(0) + \int_0^\infty L(\ln \tau) \left[1 - \exp\left(-\frac{t}{\ln \tau}\right) \right] d\ln \tau \tag{2-17}$$

$$E(t) = E(0) + \int_0^\infty H(\ln \lambda) \exp\left(-\frac{t}{\ln \lambda}\right) d\ln \lambda \tag{2-18}$$

実験値から遅延スペクトル$L(\ln \tau)$や緩和スペクトル$H(\ln \lambda)$を得るのは困難である。そこで，それぞれの要素の挙動にステップ関数を導入した近似法が用いられる[2]（**図3-10**）。

$$L(\ln \tau) \approx \left. \frac{dJ(t)}{d\ln \tau} \right|_{t=\tau} \tag{2-19}$$

$$H(\ln \lambda) \approx \frac{dE(t)}{d\ln \lambda}\bigg|_{t=\lambda} \qquad (2\text{-}20)$$

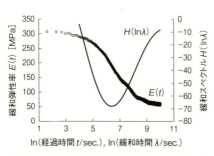

図3-10 緩和弾性率と緩和スペクトル(スギ接線方向[3])

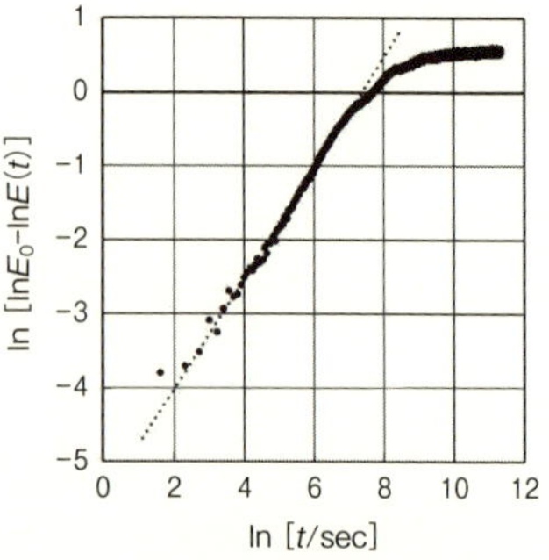

図3-11 拡張指数関数を適用して求めた応力[3]

　実験から遅延スペクトルおよび緩和スペクトルを求める別の方法として拡張指数関数(Kohlrausch-Williams-Watts (KWW) function)を用いる方法がある。拡張指数関数は種々の材料の緩和挙動，特に動的緩和現象の解析に利用され，緩和弾性率$E(t)$は以下の式で書き換えられる。

$$E(t) = E_0 \cdot \exp\left[-\left(\frac{t}{\lambda'}\right)^{\beta}\right] \qquad (2\text{-}21)$$

ここでβは拡張パラメータ(stretching parameter)，λ'は特性緩和時間(characteristic relaxation time)である。結晶領域と非結晶領域からなる木材の緩和現象に(2-21)式を適用すると，以下の式を導くことができる[4]。

$$\ln[E(t)] \approx \theta \cdot \ln(E_{a0}) - \theta \cdot \left(\frac{t}{\lambda'_a}\right)^{\beta_a} + (1-\theta) \cdot \ln(E_{c0}+E_{c\infty}) \qquad (2\text{-}22)$$

　ここで，E_0とE_∞は$t=0$と$t=\infty$のときの緩和弾性率，添え字のaとcはそれぞれ非結晶領域と結晶領域を示す。θは非結晶領域(マトリックス(matrix substance))の体積割合であり，$\theta=0.75$とする。実験開始直後($t=0$)の木材全体の瞬間弾性率をE_0とすると次式が得られる。

$$\ln E_0 \approx \theta \cdot \ln E_{a0} + (1-\theta) \cdot \ln(E_{c0}+E_{c\infty}) \qquad (2\text{-}23)$$

　右辺を代入して，両対数をとると次式が得られる。

$$\ln[\ln E_0 - \ln E(t)] = (\ln\theta - \beta_a \ln\lambda_a') + \beta_a \ln t \qquad (2\text{-}24)$$

非結晶領域の緩和は短時間であるので，$\ln t$ に対して $\ln[\ln E_0 - \ln E(t)]$ をプロットし，短時間部分を直線回帰することで非結晶領域の拡張指数 β_a, と特性緩和時間 λ_a' を求めることができる（図3-11）。さらに，平均緩和時間 $<\lambda'>$ は以下の式で得られる。

$$\langle\lambda'\rangle = \frac{\lambda_a'}{\beta_a}\Gamma\left(\frac{1}{\beta_a}\right) \qquad (2\text{-}25)$$

ここで $\Gamma(1/\beta)$ はガンマ関数である。

2.7　さまざまなクリープおよび緩和現象

木材の細胞壁が水分を吸着すると水分子が細胞壁の非晶領域の分子間距離を広げるため，分子間の変位に対する抵抗性が低下することにより木材成分の凝集力が低下する。そのため，同じ一定応力を負荷しても含水率が増加するにつれて瞬間ひずみと同時にクリープ変形も増加する。図3-12は含水率の違いによるクリープ曲線を比較した例である。

温度が高くなると，構成分子鎖の熱振動が活発になって熱膨張を起こし，細胞のクリープ変形は促進される。図3-13は飽水状態の木材のクリープ変形に

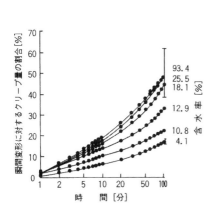

図3-12　ブナ材（半径方向）の瞬間変形に対する曲げクリープ量[1]

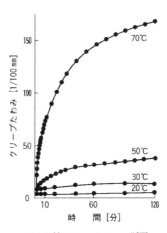

ヒノキ材，10 mm×10 mm 断面，スパン20cm，荷重3.5kg

図3-13　曲げクリープに及ぼす温度の影響[1]

及ぼす温度の影響を示し、高温であるほどクリープ変形が大きくなることがわかる。特に50℃と70℃の間のクリープ変形の差は極めて大きく、この温度帯に転移点が存在していることを示唆している。

木材を熱処理すると結晶化度 (degree of crystallinity)が高くなることが知られている。原因として非結晶セルロースの結晶化とヘミセルロースの熱分解が指摘されている。スギの熱処理材の応力緩和現象を拡張指数関数 (KWW関数)によって解析した結果を図3-14に示す。熱処理温度が高くなるにつれて特性緩和時間が長くなることが分かる。緩和時間の短い成分が熱処理によって減少したと考えられる。

2.8 非定常状態の粘弾性

放湿または吸湿過程のような含水率の非定常状態では、含水率が一定の場合に比べてクリープあるいは応力緩和が著しく増大することが知られ

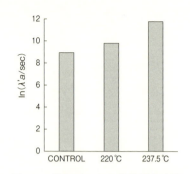

図3-14 熱処理による特性緩和時間 (λ'_a)の変化(スギ接線方向)[3]

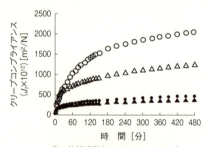

○:乾燥過程(RH 80.1%→65.0%)
△:乾燥直後(RH 80.1%→65.0%)
●:乾燥前(RH 80.1%で長期調湿)
▲:乾燥後(RH 65.0%で長期調湿)

図3-15 種々の水分条件における曲げクリープ曲線[5]

ている[1]。この現象は、「応力と水分変化の相互作用による」との解釈から、メカノソープティブクリープ(mechano-sorptive creep)またはメカノソープティブ緩和(mechano-sorptive relaxation)と呼ばれ、総称してメカノソープティブ効果 (mechano-sorptive effect)という。この特異な現象は実用的にも重要であり、木材を生材から乾燥する過程で、著しいメカノソープティブクリープが生じることや、人工乾燥材でも材内部の含水率の不均一が原因で起こりうることが指摘されている[6]。メカノソープティブ効果の発現機構については、吸脱湿の際に水素結合の切断や再結合が生じて分子構造に一時的にゆるみが生じるとする水素

結合説[7]，一時的に空孔が生成して変形を促進するとする空孔理論[8]，木材の細胞壁構造に原因があるとする高次構造説[9]がある。

　また近年では，吸・脱湿直後の木材のクリープを測定したところ，長期間置かれていた木材と比較して極めて大きなクリープ量を示し（**図3-15**），これらのクリープ量は，吸・脱湿速度が遅いほど，また吸・脱着後からの時間経過に伴って減少することが報告されている[5]。すなわち，含水率がほとんど変化しなくても，含水率変化直後ではクリープ量が大きく，流動性が高い。このような結果が得られた原因は，吸・脱湿による分子レベルの熱力学的状態の変化に伴い，木材構成成分分子の配列状態が変化し，流動性が増大したためであると推察されている。つまり，メカノソープティブクリープは，過去に考えられていたような応力と含水率変化の相互作用によるものではないと結論づけられている。

　熱履歴によっても緩和挙動に影響があることが知られている[2]。高分子材料では加熱後の急冷（quenching）が緩和挙動に影響を及ぼすことはよく知られており，フィジカルエージング（physical aging）と呼ばれる。飽水木材を熱処理したのち，急冷した場合と静置し徐冷（annealing）した場合では緩和挙動が異なる。この緩和挙動の差に影響を及ぼす因子は熱処理温度，温度差，冷却速度であるとされる。同じ冷却速度でも，冷却温度差が大きいほど大きな緩和を示す[10]。熱処理後の冷却速度や静置時間に依存する緩和挙動は，急冷によって平衡状態に比べて自由体積（free volume）が大きな状態のままで分子運動が凍結されることが要因の一つである。木材構成成分分子の熱力学的状態の変化に伴う静的粘弾性の変化に関しては，これまでに多数の報告があるため，詳細はそれらの論文[11]を参考にされたい。

●引用文献

1) 飯田生穂ほか："木材の力学的に性質に及ぼす温度履歴の影響（第2報）不安定状態にある木材の力学的性質評価に関する最適条件の検討"，木材学会誌，**52**(2) 93-99（2006）
2) 日本木材学会編："木質の物理"，文永堂出版，113-140（2007）
3) 内海真弓ほか："KWW関数を使用した熱処理木材の緩和性能の評価"，第64回日本木材学会大会研究発表要旨集，C14-04-1115（2014）

4) S. Nakao, T. Nakano : "Analysis of molecular dynamics of moist wood components by applying the stretched-exponential function", *J. Mater. Sci.*, **46**, 4748-4755 (2011)

5) C. Takahashi *et al.* : "The creep of wood destabilized by change in moisture content. Part 1 : The creep behaviors of wood during and immediately after drying", *Holzforschung*, **58**, 261-267 (2004)

6) 荒武志郎, 平山国浩 : "自然環境下における各種中断面部材のクリープ", 宮崎県工業技術センター・宮崎県食品開発センター研究報告, No. 45, 101-108 (2000)

7) E. J. Gibson : "Creep of Wood: Role of Water and Effect of a Changing Moisture Content", *Nature*, **206**, 213-215 (1965)

8) 竹村富男 : "放湿過程のクリープについて", 木材学会誌, **14**, 406-410 (1968)

9) J. Mukudai, S. Yata : "Modeling and simulation of viscoelastic behavior (tensile strain) of wood under moisture change", *Wood Sci. Technol.*, **20**, 335-348 (1986)

10) T. Nakano : "Effects of quenching on relaxation properties of wet wood", *J. Wood Sci.*, **51**, 112-117 (2005)

11) 例えば, 神代圭輔 : "木材の不安定化", 木材工業, **64**, 104-109 (2009)

第3節　動的粘弾性

3.1　動的粘弾性

　物体に外力を加えると変形し，外力を取り除くと元の形状へ回復するような変形を弾性変形という。一方，外力が働く限り流動を続け，外力を取り除くとその位置で静止するような変形を粘性流動という。これら2つの変形挙動が重なって現れるような性質が粘弾性であり，粘弾性を示す物質の変形や流動を取り扱う学問をレオロジー（rheology）と呼ぶ。

　一般に高分子物体は長時間の刺激に対してはより粘性的に，短時間の刺激に対してはより弾性的に挙動する。前節で取り扱ったクリープや応力緩和現象は，極めて長時間の刺激に対する粘弾性挙動であり，これらを測定することにより静的すなわち無限時間における粘弾性を知ることができる。木材を柱や梁といった建築構造部材に用いる際には静的な性質が重要となる。一方，日常の様々な場面で材料に加えられる刺激は短時間かつ断続的であり，そのときの粘弾性挙動を知るためには動的刺激に対する粘弾性挙動，すなわち動的粘弾性（dynamic viscoelasticity）を測定する必要がある。

　動的粘弾性は，時間すなわち周波数だけではなく，温度にも依存する。このことは，例えばかまぼこやソフトクリームなどの食品の食感や，塗料の塗りやすさ，化粧品の肌なじみなど，身近な製品の性能に大きな影響を与えており，これら製品の動的粘弾性挙動を知り，製品が望ましい性能を持つよう材料を設計することは高分子化学の重要な役割の一つである。

　木材は結晶性のセルロース，ヘミセルロース等の非結晶性の多糖類，複雑な3次元構造を持つリグニンからなるいわば高分子複合材料であり，温度，周波数に対して複雑な粘弾性挙動を取る。さらに，木材は吸湿性材料であり，木材に含まれる水分が，さらに複雑な粘弾性挙動を引き起こす。この節では，動的粘弾性の測定方法について概説するとともに，木材の動的粘弾性に影響を及ぼす因子，並びに試料が受けてきた温度，含水率の履歴が動的粘弾性に及ぼす影響について述べる。

3.2 自由振動による動的粘弾性の測定

物体の振動の種類には，力を与えて放すとその物体固有の振動数で振動する自由振動（free vibration）と，外部から周期的に変化する力を作用させる強制振動（forced vibration）がある。また，物体の振動の様式には，縦振動（longitudinal vibration），横振動（transverse vibration），ねじり振動（torsional vibration）がある。したがって，動的粘弾性の測定方法は，物体の振動の種類と様式を組み合わせて行うことが通常である。はじめに自由振動による測定原理について概説する。

木材にハンマー等で打撃を与えたり，加えた力を除いたりして，各振動様式から得られた固有振動数（characteristic vibration）を以下の式に代入すれば動的弾性率を求めることができる[1]。

1）両端自由な棒状試験体の縦振動から求める動的弾性率

$$E = 4f^2 l^2 \rho = \rho v^2 \tag{3-1}$$

ここで，f は1次モードの固有振動数 [Hz]，l は試験体の長さ [m]，ρ は試験体の密度 [kg/m^3]，v は試験体の中を伝播する振動の速度 [m/s] である。

2）横振動から求める動的弾性率

$$E = \frac{4\pi^2 \cdot l^4 \cdot \rho}{m_n^4 \cdot K^2} f_n^2, \quad K = \sqrt{\frac{I}{A}} \tag{3-2}$$

ここで，l は試験体の長さ [m]，添え字の n は振動のモード番数で第1モードの場合は $n=1$，第2モード場合は $n=2$，m_n はモード番数 n のときの m の値で，モード番数と棒の端部の条件によって異なる値（**表3-2**），f_n はモード番数 n のときの共振振動数，K は横断面の回転半径，I は横断面の断面2次モーメント，A は試験体の断面積である。

3）ねじり振動から求める動的剛性率

一般に，棒の一端を固定し，他端に慣性質量をとりつけ，これをねじって放つと，棒が単振動を起こし，ねじり振動基本振動数 f [Hz] が得られる。長方形断面（a辺$>b$辺），長さ l [m] の棒状試験体の剛性率 G_1 [Pa] は次式で求められる[3]。

$$G_1 = \frac{4\pi^2 \cdot f^2 \cdot I \cdot l}{K_1 \cdot a \cdot b^3} \tag{3-3}$$

第3節 動的粘弾性

表3-2 各振動モードにおけるmの値とノードの位置[2]

	m_1	m_2	$m_n (n>2)$
両端固定	4.730	7.853	$\frac{1}{2}(2n+1)\pi$
一端固定,他端支持	3.927	7.069	$\frac{1}{4}(4n+1)\pi$
一端固定,他端自由	1.875	4.694	$\frac{1}{2}(2n-1)\pi$
一端支持,他端自由	3.927	7.069	$\frac{1}{4}(4n+1)\pi$
両端自由	4.730	7.853	$\frac{1}{2}(2n+1)\pi$

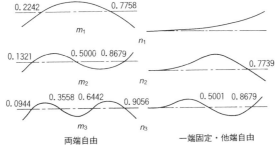

表3-3 K_1の値[3]

$\frac{a}{b}\sqrt{\frac{G_2}{G_1}}$	K_1
1	0.141
1.25	0.172
1.5	0.196
1.75	0.214
2	0.229
2.5	0.249
3	0.263
4	0.281
5	0.291
10	0.312
20	0.323
∞	0.333

図3-16 ねじり振動試験の試験体の断面[3]

ここで,G_1は長辺aを含む面(a-l面)の剛性率,K_1は$a/b\sqrt{G_2/G_1}$によって表3-3のように変化する係数,G_2は短辺bを含む面の剛性率である。K_1にはG_1,G_2を含むので,他にもう一つb辺$>a$辺の試験体(b-l面のG_2)の2つの試

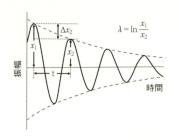
図3-17 自由減衰振動の振動曲線

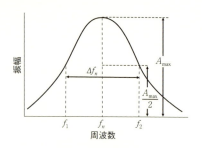
図3-18 振幅共振曲線

験体を用い，G_1とG_2は逐次近似法で求める(**表3-3**，**図3-16**)。この近似解法を速やかに収束させるためには横断面の長辺は4倍以上が良い。

4) 自由振動の減衰から求める対数減衰率

粘弾性体に自由振動をあたえて放置すると，**図3-17**に示すように，振動は内部摩擦等によって時間の経過とともに次第に減衰し，消失する。このときに隣り合う振幅の比の自然対数を対数減衰率(logarithmic decrement)λという。この値は，振動様式と材料に固有である。振幅と周波数の関係をみると，**図3-18**に示すような曲線となり，図から得られる数値を次式に代入すれば，対数減衰率が求まる。

$$\lambda = \frac{\pi \Delta f}{\sqrt{3} f_n} \tag{3-4}$$

ここで，f_nは共振周波数(resonance frequency)，Δfはf_nにおける振幅の半分になる2つの周波数の差を示し，半価幅とよぶ。

3.3 強制振動による動的粘弾性の測定

次に，強制振動による測定原理について概説する。**図3-19**に周期的な応力を与えた時の理想的な弾性体，純粘性体，粘弾性体のひずみ挙動を示す。理想的な弾性体では，与えた応力に遅れをとらずに物体が変形する。一方，純粘性体では応力に対してひずみが$\pi/2\omega$の位相のずれを生じ，それらの性質を併せ持つ粘弾性体では位相差ゼロから$\pi/2\omega$の間で応力に遅れてひずみが生じる。この粘弾性体における応力とひずみの関係を複素平面状にベクトルとして表すと**図3-20**のようになる。

ここで，E^*は複素弾性率であり，δは応力と変形との間の位相差角に相当す

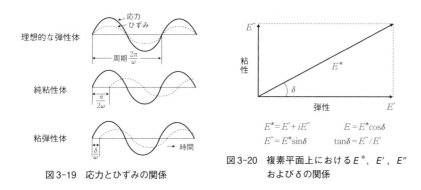

図3-19 応力とひずみの関係

図3-20 複素平面上におけるE^*, E', E''およびδの関係

$E^* = E' + iE''$　　　$E' = E^*\cos\delta$
$E'' = E^*\sin\delta$　　　$\tan\delta = E''/E'$

る。E'は動的弾性率（貯蔵弾性率），すなわち一周期あたりに与えられた応力が貯蔵され完全に変形が回復するようなエネルギーの尺度であり，弾性的性質を表す。E''は損失弾性率と呼ばれ，与えられた応力のうち熱として物質内で損失したエネルギーの尺度であり，粘性的性質を表す。$\tan\delta$は損失正接と呼ばれ，貯蔵弾性率と損失弾性率の比で示される。$\tan\delta$は物質が変形する際に与えられた応力のうち熱として物質内で消失したエネルギーの割合を表し，振動吸収特性を示す。

以上のような原理のもと，強制振動による測定では，特定の周波数の正弦波を試料に与え，その時の応力と検出された試料のひずみからE'や$\tan\delta$といった各種粘弾性要素が算出される。

3.4 動的粘弾性に影響を及ぼす因子

静的弾性率と同様に，動的弾性率も繊維飽和点までは含水率の増加とともに低下する（図3-21）。これは，木材構成成分の非晶領域に形成されている水素結合を水分子が切断して侵入し，分子間を押し広げるため，主鎖，側鎖の運動の束縛が小さくなり，外力への抵抗性が減少するためである。図3-21において，繊維方向の弾性率が含水率5〜10%付近で極大を取る現象は，水分子が非晶領域内の先在的空隙を充填したり，適度な膨潤によるセルロース鎖

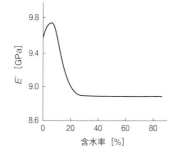

図3-21 ヒノキ材繊維方向の動的弾性率と含水率の関係[4]

の再配列にともなって，乾燥時に生じた応力が解除されたためであると考えられている。[4]

図3-22に，繊維飽和点までの各含水率のブナ材の半径方向における動的剛性率および対数減衰率と温度の関係を示す。含水率が高いほど，低温域での動的剛性率の低下割合が大きく，動的剛性率はより低温域から温度の影響を強く受けるといえる。また，対数減衰率は20.5％以上の含水率では80℃から90℃付近にピークをとり，含水率が高い材ほどピーク温度が低くなる傾向が見られる。このように，動的剛性率と対数減衰率の温度依存性は含水率によって大きく変化する。

強制振動法により測定した乾燥状態と飽水(飽湿)状態のヒノキ材の繊維直交方向における動的粘弾性の温度依存性について**図3-23**に示す。全乾状態，飽水状態ともに，損失正接において-120℃付近で木材構成成分分子に含まれる一級水酸基(メチロール基)由来の緩和を示しているが，それ以上の温度における緩和挙動を両条件で比較すると大きく異なる。乾燥状態では150℃を超える温度域で，木材構成成分の主鎖の運動に基づくと考えられる弾性率の急激な低下と損失正接の増大が見られるのに対して，飽水状態では-50℃付近に損失正接のピークが現れるとともに，80℃付近で弾性率の急激な低下と損失正接のピークが

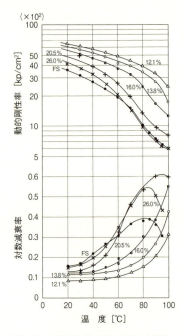

図3-22 異なる含水率のブナ材半径方向の動的剛性率および対数減衰率と温度の関係[5]

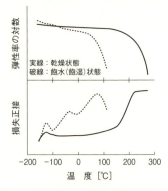

図3-23 乾燥状態と飽水(飽湿)状態のヒノキ材繊維直交方向の動的粘弾性の温度依存性の概略図[6]

認められる。-50℃付近に見られるピークはヘミセルロースをはじめとする非結晶性糖類の軟化，80℃付近に見られるピークはリグニンの軟化によるものとされている[7]。乾燥状態において200℃以上の温度域で起きていた木材構成成分分子の熱軟化が，飽水状態になることによって80℃や-50℃に熱軟化温度が低下したと考えられるが，これは，水分子が吸着した領域における分子鎖間の相互作用が弱まり分子のセグメント運動が活発となったためであると考えられる。

3.5 動的粘弾性と履歴の関係

木材の動的粘弾性は含水率あるいは温度に依存し変化するが，ある含水率・温度における木材の動的粘弾性は，それまでに受けた乾燥や熱などの履歴の影響を受けるため，一定の値とはならない。

例えば，異なる速度で冷却した飽水状態の木材の動的粘弾性の温度依存性を比較したところ，急冷した木材でリグニンの軟化温度が低下し（図3-24），リグニンのミクロブラウン運動に起因する軟化のピークから求めた見かけの活性化エネルギーが低くなることが明らかにされている[8]。このような履歴による木材の物理的性質の変化は，プラスチックなどの高分子材料では一般的にフィジカルエージング（physical aging）として知られている。木材の粘弾性も，水分および熱による履歴の影響を顕著に受けるため，木材の力学的性質を測定する際は，これらの履歴の影響を十分考慮して木材試験片の含水率や温度の調整を行う必要がある。

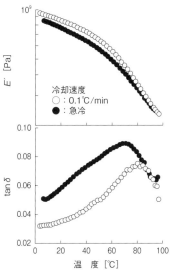

図3-24 異なる冷却履歴の飽水カツラ材の E' および $\tan\delta$ の温度依存性(0.05Hz)[8]

●引用文献

1) 日本住宅・木材技術センター："構造用木材の強度試験マニュアル，Ⅳ.動的弾

性係数の非破壊測定方法", 59-76(2011)

2) 高橋徹, 中山義雄編:"木材科学講座3 物理(第2版)", 海青社, 87 (1995)

3) R. F. S Hearmon:"Vibration Testing of Wood", *For. Prod. J.*, **16**, 29-40(1966)

4) 梶田茂ほか:"木材のレオロジーに関する研究(第1報)動的ヤング率と含水率の関係について", 木材学会誌, **7**, 29-33(1961)

5) H. Becker, D. Noack:"Studies on Dynamic Torsional Viscoelasticity of Wood", *Wood Sci. Technol.*, **2**, 213-230(1968)

6) 日本木材学会編:"木質の物理", 文永堂出版, 146-151(2007)

7) 古田裕三ほか:"膨潤状態における木材の熱軟化特性(第4報)木材の熱軟化特性に与える細胞壁成分の影響", 木材学会誌, **43**, 725-730(1997)

8) 古田裕三ほか:"飽水木材の熱軟化特性に及ぼすリグニンの影響", 材料, **57**, 344-349(2008)

第4節 破　壊

　固体材料が力を受けて分離し，力を伝達できなくなることを破壊(fracture)という。これに対して，破壊はしないが，過大な永久変形を生じて本来の機能を失うことを破損(failure)とよぶ。破壊は，材料全体が大きな塑性変形を生じた後，部材の一部の断面に局所的なくびれを生じ，塑性変形を経て破断する延性破

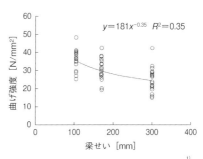

図3-25　スギ材の曲げ強度と梁せいの関係[1]

壊(ductile fracture)と，割れの成長や合体により塑性変形があまりみられずに突然破断する脆性破壊(brittle fracture)に区別される。破壊が生じるのは，力の集中する切欠き，円孔状の地点，接合強度の弱い地点であるため，木材で考えれば，試験体に含まれる節や目切れ，組織構造レベルでは細胞壁の壁孔，繊維細胞と放射組織の交差点，繊維細胞の末端，細胞間隙など，さらにミクロなオーダーではミクロフィブリルの不均一なところが破壊の起点となり得る。つまり，木材は様々なオーダーの欠陥を常に内包しているため，破壊を予測することは非常に難しい。ここでは，異方性材料である木材でよく用いられる破壊条件や破壊力学について述べる。

4.1　寸法効果

　同一材料であっても，試験片寸法が異なると強度が変化することを寸法効果(size effect)という。木材においても，寸法が大きくなるにしたがって強度が低下することが知られている(**図3-25**)。寸法効果が現れる理由は，材料寸法が大きくなるにつれて，その中に存在する重大な欠陥の出現頻度が高くなるためであると考えられている。寸法効果を理論的に説明するために，ワイブル分布(Weibull distribution)がよく用いられる。ワイブル分布とは，材料内の最も弱い要素の強度が材料全体の強度を決定するとした最弱リンク理論に基づいて提唱された破壊の確率分布であるが，これらの詳細については別の論文[2]や成書[3]

4.2 複合応力状態における破壊条件

複雑な組織構造を有する木材に負荷が働く状況を考えると，異方性材料の主軸のみに単純な応力が発生する場合はほとんど無いと想像できる。木材のような異方性材料の破壊条件は多く存在するが，ここでは汎用性の高い2つの説について述べる。

1）最大主応力説

材料の内部に発生する最大の主応力が材料の強度に達したときに破壊を生じるとする説で，3つの応力成分が互いに影響しないことを前提として以下の式で示される[4]。

$$
\begin{aligned}
\sigma_x &= X^t, \quad -X^c \\
\sigma_y &= Y^t, \quad -Y^c \\
\tau_{xy} &= \pm S
\end{aligned}
\tag{4-1}
$$

ここで，X^t，$-X^c$ は，x軸方向における引張強度および圧縮強度，Y^t，$-Y^c$ はy軸方向における引張強度および圧縮強度，Sはxy平面におけるせん断強度である。

2）相互作用説

3つの応力成分が互いに影響を与える破壊の条件である。ここでは，代表的な条件としてヒル(Hill)型とツァイ-ウー(Tsai-Wu)の破壊条件について述べる。

ヒル型の破壊条件は，応力成分が以下の2次式を満たしたときに破壊するとしている[5]。

$$
\frac{\sigma_x^2}{X^2} + \frac{\sigma_y^2}{Y^2} + \frac{\tau_{xy}^2}{S^2} - p\frac{\sigma_x\sigma_y}{XY} = 1
\tag{4-2}
$$

ここで，XはX^tあるいは$-X^c$，YはY^tあるいは$-Y^c$である。また，pは実験的に決定される定数である。

ツァイ-ウーの条件は，圧縮と引張の挙動の違いを表現できる破壊条件として，以下のように表される[6]。

$$
F_{xx}\sigma_x^2 + F_{yy}\sigma_y^2 + F_{ss}\tau_{xy}^2 + 2F_{xy}\sigma_x\sigma_y + F_x\sigma_x + F_y\sigma_y = 1
\tag{4-3}
$$

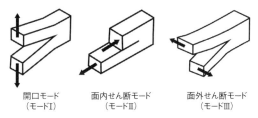

図3-26　3つの独立した破壊モード

ここで

$$F_{xx}=\frac{1}{X^t X^c},\ F_{yy}=\frac{1}{Y^t Y^c},\ F_{ss}=\frac{1}{S^2},\ F_x=\frac{1}{X^t}-\frac{1}{X^c},\ F_y=\frac{1}{Y^t}-\frac{1}{Y^c} \quad (4\text{-}4)$$

である。一方，F_{xy}には以下の式が適合するとされている。

$$F_{sy}=-\frac{\sqrt{F_{xx}F_{yy}}}{2} \quad (4\text{-}5)$$

4.3　破壊力学と木材

材料にき裂など欠陥が内在する場合，その欠陥に応力が集中して破壊が生じることも多いため，単純な強度論で強度特性を評価するだけでなく，欠陥をもつ材料の評価法が必要である。鋭い亀裂を有する材料の破壊挙動は一般的に脆性的であるといわれ，材料力学では扱うことができず，以下で述べる線形破壊力学による評価が有効である。

1) 応力拡大係数(K値)

無限の広がりを持つ板を考え，その中に長さ$2a$の亀裂があり，これに無限遠から一様な応力σが作用しているとき，応力拡大係数(stress intensity factor)は次式で定義される。

$$K=\sigma\sqrt{\pi a} \quad (4\text{-}6)$$

こうした亀裂による破壊様式は，破壊力学では**図3-26**に示すように3つの様式に分けて考える。材料がある限界値K_cで破壊したとき，これを限界応力拡大係数(破壊靱性)という。この値は，材料固有で，破壊に至る応力の尺度となる。実験で破壊靱性値K_cを求める場合，試験片は有限の大きさであるため，上記の式に形状による補正係数をかけて算出する。

2) エネルギー開放率(破壊靭性値)(G値)

き裂が進展するとき，単位面積あたりに解放される弾性エネルギーを，エネルギー開放率(energy release rate)Gと呼ぶ。新しいき裂面が進展するのに要するエネルギーはき裂抵抗Rと呼ばれ，$G=R$のときにき裂は進展する。等方体の場合，エネルギー開放率Gは応力拡大係数Kと，弾性定数Eから次式の関係が成り立つ。

$$G = K^2/E \tag{4-7}$$

エネルギー開放率Gの材料が破壊するときの限界値G_cもK_cと同様に破壊靭性(factor toughness)とよび，破壊の3様式も，応力拡大係数と同様である。

4.4 応力・ひずみの解析と破壊の評価方法

破壊条件を検討する場合には，実験によって応力またはひずみの分布や集中の状態を評価する必要がある。特定の点のひずみ値を得るにはひずみゲージが有効であるが，応力・ひずみの分布を知るためには全視野ひずみ計測が適している。木材研究で利用されている全視野ひずみ計測法としては，応力塗膜法(brittle coating method，脆性塗膜法)があり，これは，脆性的な破壊特性を持つ塗料が塗布された試験体が，ひずむ際に生じたき裂の密度を計測することで試験体表面のひずみ値を求める手法である[7]。他にも，エポキシ樹脂などの透明な等質等方体が負荷によって一時的に複屈折現象を生じることを利用して，応力(ひずみ)を測定する光弾性被膜法[8](photoelastic coating method)，光学的なひずみ計測法であるデジタル画像相関法[9](digital image correction method)，レーザー光等の干渉可能なレーザー光を木材に照射することで局所的な変位ベクトルを計測するデジタルスペックル写真法(DSP：digital speckle photography)[10]がある。また，簡易的に非接触で材料の破壊を感知する方法として，アコースティックエミッション(AE：acoustic emission)の技術も発達している。

●引用文献

1) 長尾博文ほか："スギ製材の曲げ強度に対する寸法効果――材せいと材幅の影響"，木材学会誌，**60**，100-106 (2014)
2) 鈴木直之："木材強度の寸法効果"，木材工業，**52**，278-282 (1997)

第 4 節 破　　壊

3) 日本木材学会　木材強度・木質構造研究会編："ティンバーメカニクス──木材の力学理論と応用"，海青社，18-25（2015）
4) C. F. Jenkin：*Report on materials of Construction Used in Aircraft and Aircraft Engines.* His Majesty Stationary Office, 95-131（1920）
5) M. N. Nahas："Survey of failure and post-failure theories of laminated fiber-reinforced composites", *J. Compos. Technol. Res.*, **8**, 138-153（1986）
6) S. W. Tsai, E. M. Wu："A general theory of strength for anisotropic materials", *J. Compos. Mater.*, **5**, 58-80（1971）
7) 佐々木光，満久崇麿："塗膜法の精度について"，木材研究，No.27，40-43（1962）
8) 高橋徹，中戸莞二："光弾性皮膜法による木材のひずみ測定（第 1 報）変性エポキシ樹脂の光弾性特性(1)"，木材学会誌，**10**，49-54（1964）
9) A. G. Zink *et al.*："Strain measurement in wood using a digital image correlation technique", *Wood Fiber Sci.*, **27**, 346-359（1995）
10) J. Liungdahl *et al.*："Transverse anisotropy of compressive failure in European oak - a digital speckle photography study", *Holzforschung*, **60**, 190-195（2006）

第5節 力学的性質各論

5.1 圧　　縮

　木材を構造部材として利用する際や木材の物理加工の際には圧縮力が加わることが多いことから，木材の圧縮特性を理解することは重要である。圧縮時における弾性領域内での変形の難易は弾性率（ヤング率，ヤング係数）によって，外力に対する抵抗の度合は強度によって表す。木材の圧縮に関する試験方法には，荷重の作用する方向と繊維または年輪走向との関係を考慮して，繊維方向に荷重が作用する縦圧縮（compression parallel to grain），荷重が繊維に直角の方向（半径方向と接線方向および追まさ方向）に作用する横圧縮（compression perpendicular to grain），ならびに試験体の長さの一部に作用する部分圧縮（partial compression）がある。木材の縦圧縮応力および横圧縮応力－ひずみ曲線は組織構造と関連して図3-27のように圧縮方向の違いによりそれぞれ特徴的な形を示す。図中の横圧縮応力－ひずみ曲線は，半径方向（板目面加圧）では弾性域から塑性域への移行が明確に現れており降伏点（yield point）の存在は明らかであるが，接線方向（まさ目面加圧）ならびに追まさ方向では降伏点は判然としない[1]。

　木材の圧縮試験方法はJIS Z 2101で定められており，その規定の概要は以下のようになっている。

　縦圧縮（木口面加圧）は，その強度値から他の強度値をある程度類推することが可能である（他の強度値との相関が比較的高い）ことから，材質判定上よく利用されている試験で，試験体の高さhは加圧面（正方形）の辺長aの2～4倍としている。h/aがこのように定められている理由は，h/aが4以上になると曲げによる座屈が生じやすくなり，2以下になると加圧面の摩擦抵抗の影響を大きく受けるようになるた

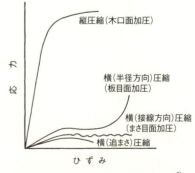

図3-27　圧縮応力－ひずみ曲線（模式図）[2]

めである。また，辺長は20〜30mmと定められているが，これは，試験機の容量，組織構造の不均等，繊維走向の乱れ，節などの欠点の影響などを考慮しているためである。横圧縮の試験方法も，2009年のJISの改訂に際して，hがaの2〜4倍と変更されたため，縦圧縮の試験方法と全く同じとなった。また，部分圧縮には，試験体の幅全体に加圧する枕木式と，幅の一部に加圧するスタンプ式があるが，JISでは枕木式により行うことになっている。また，その試験体寸法について，辺長aが20〜30mmの正方形断面とし，その3倍以上を材長（繊維方向）lとする直方体とし，加圧鋼板の幅，すなわち加圧面の長さもaと定められている点を除いては，縦圧縮と同様である。

圧縮弾性率の求め方について，JISでは縦圧縮弾性率（Young's modulus in compression parallel to grain）と横圧縮弾性率（Young's modulus in compression perpendicular to grain）を定め，応力−ひずみ曲線の直線部分から次式により求めることとしている。

$$E_c = \frac{\Delta P}{\Delta l} \cdot \frac{l}{A} \tag{5-1}$$

ここで，E_cは縦圧縮または横圧縮ヤング係数［MPa］，lは標点距離［mm］，Aは試験体の断面積［mm²］，ΔPは比例限度領域における上限荷重と下限荷重との差［N］，ΔlはΔPに対応する標点距離の縮み［mm］である。

また，強度（強さともいう）には縦圧縮強度（compressive strength parallel to grain）と部分圧縮強度（partial compressive strength）を規定しており，それらは次式で決定される。

$$\sigma_c = \frac{P_{max}}{A}, \quad \text{または} \quad \sigma_c = \frac{P_{5\%}}{A} \tag{5-2}$$

ここで，σ_cは縦圧縮強度（または部分圧縮強度）［MPa］，P_{max}は最大荷重［N］，$P_{5\%}$は変形が辺長の5%時の荷重［N］，Aは試験体の断面積［mm²］。

部分圧縮強度で5%変形時の荷重を用いるのは，P_{max}で評価した場合，加圧鋼板による荷重点でのめり込みが大きく，破壊荷重の確認が困難なためである。この他，縦圧縮，横圧縮ならびに部分圧縮について比例限度応力を定めているが，それらはいずれも比例限度荷重と加圧面積を用いて(4-2)式と同様に求めている。なお，横圧縮の場合には変形が大きく，破壊荷重の確認が困難なため，

表3-4　木材の圧縮弾性率と強度[3]

樹　　種	密　度 (g/cm^3)	弾 性 率 (GPa)			強　　度 (MPa)				
		縦圧縮	横圧縮		縦圧縮	横圧縮		部分圧縮	
			R	T		R	T	R	T
ス　　ギ	0.33	7.35	0.59	0.29	27.5	1.4	0.7	3.5	2.8
エゾマツ	0.39	10.79	0.83	0.44	34.3	1.5	1.2	3.4	2.8
アカマツ	0.51	11.77	1.23	0.64	40.2	2.5	1.8	5.8	5.1
ブ　　ナ	0.62	12.26	1.32	0.59	48.1	3.5	2.2	11.3	7.7
ケ ヤ キ	0.70	10.30	1.86	1.23	54.9	6.7	5.1	—	—

引用文献3)に掲載の3つの表のデータから作成した。
R：半径方向，T：接線方向，部分圧縮：中央加圧（余長のある場合）

横圧縮比例限度応力を便宜的に横圧縮強度(compressive strength perpendicular to grain)としている。各種木材の圧縮弾性率と強度についての測定例を**表3-4**に示す。

　弾性率（厳密には縦弾性率というべきであるが，木材の場合には繊維方向を縦と表現するため紛らわしいので注意を要する），比例限度応力ならびに強度は生物的ならびに物理的な種々の因子の影響を受けるが，それらのうち主なものに関する一般的な傾向を以下に示す。

　1) 繊維走向：強度や弾性率は，縦圧縮において最も大きく，荷重と繊維方向とのなす角が大きくなるにつれて小さくなる[4]。弾性率Eの異方度は，おおよそ $E_L : E_R : E_T = 100 : 10 : 5$（添字L，R，Tはそれぞれ繊維方向，半径方向，接線方向），また，比例限度応力σ_Pの異方度は針葉樹材で$\sigma_{PL} : \sigma_{PR} : \sigma_{PT} = 100 : 6 : 5$である。なお，部分圧縮比例限度応力は横圧縮比例限度応力の$1.3 \sim 3$倍程度である[5]。

　縦圧縮における弾性率や強度が横圧縮におけるそれらと大きく異なるのは，木材が繊維方向に細長い中空紡錘形の細胞で構成されており，ミクロフィブリル傾角が小さいためである。また，半径方向と接線方向の弾性率や強度が異なるのは，これらに及ぼす細胞の分布，形状，大きさ，および放射組織の影響が方向により異なるためである[6,7]。

　2) 密　度：木材の単位体積に含まれる木材実質の量が多くなるほど密度は大きくなり，荷重に対する抵抗力も高まるので，弾性率と強度はいずれも密度の増加にともなって増大し，それらは**図3-28**に示すように密度とほぼ比例する[8]。

なお，現在，木材の基準強度は，節等の欠点を含んだ実大の強度試験によって定められているため，日本建築学会「木質構造設計規準・同解説[9]」では，直接的には比重（密度）から強度を求めることはしていない。一方，ボルトやドリフトピンなどを用いた接合部における局所的なめり込み等の基準支圧強度に関しては，比重（密度）の大きさを基準に分類した3つの樹種群に対して，繊維方向および繊維直交方向ごとに数値を設定している。

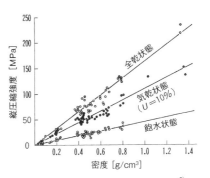

図3-28 縦圧縮強度と密度の関係[8]

3）含水率：繊維飽和点以下の含水率では，木材の強度は含水率の増加にともない減少傾向を示す。これは水分子が吸着することにより，非結晶領域の構成成分分子間に形成された水素結合が切断されるためであると考えられているが，その挙動は荷

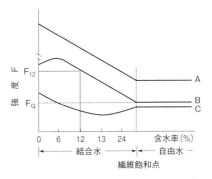

図3-29 種々の強度への含水率の影響[10]

重の負荷方法や方向によって異なる。各種強度，硬さ，衝撃吸収エネルギーと含水率の関係を**図3-29**に示す。縦圧縮および横圧縮は，繊維飽和点以下で含水率の増加とともに単調に減少するAタイプに属する。Aタイプにはその他に硬さが属し，含水率4〜8％で一旦最大値を取った後に減少するBタイプには縦引張，横引張，曲げ，せん断，割裂等が属し，ある含水率で最小値を取るCタイプには衝撃吸収エネルギーが属することが知られている[11]。なお，含水率1％の増加に対して縦圧縮強度は6％，横圧縮強度は5.5％低下し[12]，繊維飽和点以上では強度は一定となる。

4）温　度：温度の上昇とともに，木材の分子運動が盛んになり，分子間の凝集力が低下するため，強度や弾性率は低下する。弾性率や強度に及ぼす温度の

影響の程度は繊維走向，密度，含水率によって異なる。数樹種の気乾状態の木材における1℃の温度上昇にともなう強度の低下率は，縦圧縮および横圧縮において1.0〜1.5%である。[11]

5) 節：圧縮強度に及ぼす節の影響は引張強度に比べて小さく，その低下率は生節が少数存在する場合で8〜15%，多数ある場合で15〜25%とされている。[13]

5.2 引　張

材料が引張によって破壊するときの応力の大きさを引張強度という。これには荷重方向が繊維方向の縦引張強度と繊維方向と直角の方向の横引張強度がある。

(1) 縦引張強度

木材の繊維に平行な方向に引張力が作用したときの強度を縦引張強度（tensile strength parallel to grain：縦引張強さともいう）といい，弾性率を縦引張ヤング率という。木材の引張試験方法はJIS Z 2101において規定の寸法形状のダンベル型の試験体を用いて測定するものと定められており，縦引張強度 σ_t [MPa] および縦引張ヤング率 E_t [MPa] はそれぞれ次式で与えられる。

$$\sigma_t = \frac{P_{\max}}{A} \tag{5-3}$$

$$E_t = \frac{\Delta P}{\Delta l} \cdot \frac{l}{A} \tag{5-4}$$

ここで，$P_{\max}$ は最大荷重 [N]，A は試験体の測定部分（ダンベル型の細くなった部分）の荷重方向に直角な断面積 [mm²]，l は標点距離 [mm]，ΔP は比例限度領域における上限荷重と下限荷重との差 [N]，Δl は ΔP に対応する標点距離の伸び [mm] である。

気乾材の σ_t は**表3-5**に示すように針葉樹で約50〜150MPa，広葉樹で約20〜260MPaが得られている（**表3-5**）。木理が通直で，節などの欠点のない木材では，縦引張強度は圧縮強度や曲げ強度などと比較して著しく大きな値を示す。[8,12]これは木材中に含まれる大部分のセルロース分子鎖が繊維方向に配列し，直接的に引張強度に寄与していることによる。縦引張強度は鋳鉄やアルミ合金などより低い値を示すが，比強度（単位密度当たりの強度：強度÷密度で求められる）はそれらより大きく，高張力鋼に匹敵するといえる（**表3-6**）。しかし，セ

第5節　力学的性質各論　　　*135*

表3-5　木材の引張・曲げ強度と比強度[2]

樹　　種	気乾密度 (g/cm³)	含水率 (%)	引張強度（MPa）			比強度 (MPa)	曲げ（MPa）	
			縦引張強　度 (σ_{tL})	横引張強度			比例限度	曲げ強度
				半径方向 (σ_{tR})	接線方向 (σ_{tT})			
針葉樹　ス　　ギ	0.32	15.5	57	7.0	2.6	178	38	64
ヒ ノ キ	0.44	15.0	120	—	—	272	36	66
ア カ マ ツ	0.55	13.0	134	9.6	3.8	244	46	89
広葉樹　キ　　リ	0.28	11.0	52	4.4	3.8	186		30
ケ ヤ キ	0.69	13.0	121	17.1	12.6	176	52	99
イチイガシ	0.81	10.0	167	20.0	8.0	206	53	102
南洋材　ア ガ チ ス	0.46	15.5	150	7.3	3.3	327		65
ア ピ ト ン	0.63	15.9	167	8.3	5.2	265	88	131
米材　ベ イ ツ ガ	0.48	12.0	69	2.1		153	48	70
ベ イ マ ツ	0.55	12.0	105	2.3		223	55	80

表3-6　材料の引張強度と比強度[2]

材　　料	密度(g/cm³)	引張強度（MPa）	比強度（MPa）
鋳　　　　　鉄	7.1	140〜280	19〜39
高　張　力　綱	7.7	800〜1000	104〜130
アルミニュウム	2.7	90〜150	33〜56
メ ラ ミ ン 樹 脂	1.5	35〜93	23〜62
ポ リ エ チ レ ン	0.9	21〜35	23〜38
ガ　　ラ　　ス	2.8	30〜90	10〜32

ルロースの結晶領域を切断するには10〜40 GPa，セルロースの主原子価結合の切断には8 GPaが必要であり，非結晶領域の切断にも2 GPaが必要であるとされている。これに対して，木材の単繊維の引張強度は0.2〜1.3 GPaの範囲にあることから[13]，木材の引張強度はセルロースの引張強度と比べて極めて小さくなっているといえる。

　このことは，木材の引張強度は木材の主要成分の一つであるセルロースの主原子価結合に依存するのではなく，ミセル相互のすべり，細胞壁層内のミクロフィブリルの傾斜，壁孔の存在，さらには相当な断面積を占める細胞内腔，細胞間隙や上下末端の空隙部分，放射組織が垂直組織と隣接する不連続部分の存在などに応力が局部的に集中することに起因して，セルロースの結晶部分の強度や，セルロースの主原子価結合の強度に比べると著しく低い値を示すことに

よるものと考えられる.

なお，引張りによる負荷方向となす繊維方向の角度(θ)が増加するに伴って，引張強度は著しく減少する(**図3-30**)．

(2) 横引張強度

木材の繊維に直角方向に引張力が作用したときの強度を横引張強度(tensile strength perpendicular to grain：横引張強さともいう)という．木材の横引張試験の方法も JIS Z 2101 で規定されており，この場合もダンベル型の試験体を用いて，次式によって横引張強度 σ_{t90} [MPa] を求める．

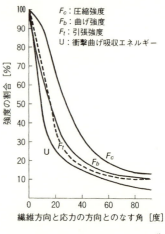

図3-30　強度の繊維走向度依存性[2]

$$\sigma_{t90} = \frac{P_{max}}{A} \tag{5-5}$$

ここで，P_{max} は最大荷重 [N]，A は試験体の測定部分(ダンベル型の細くなった部分)の荷重方向に直角な断面積 [mm²] である．荷重方向は引張荷重を半径方向及び接線方向並びにこれと 45° をなす方向で負荷するものと定めている．

横引張強度 σ_{t90} は縦引張強度 σ_t と大きく異なるが，半径方向負荷 σ_{t90R} と接線方向負荷 σ_{t90T} とによっても異なり，$\sigma_t : \sigma_{t90R} : \sigma_{t90T}$ の比はおおよそ 100：7：5 であることが知られている．この比から分かるように横引張強度は縦引張強度に較べて著しく小さく，縦引張りのそれの 5～10% 程度の値を示すにすぎないことから，木材を構造部材として用いる際には，木材の繊維に直角方向に引張応力を起こさせるような利用は避けなければならない．

(3) 割裂(割裂抵抗)

木材は繊維方向にそって割れやすい性質をもっている．その尺度として，割裂抵抗(cleavage resistance)または割裂性(cleavability；割裂抵抗の逆数)を用いる．割裂抵抗が低い，すなわち割裂性が高いことは，桶や樽材を丸太から作るとき，長所となるが，釘を打つ場合には割れやすく欠点となる．

割裂抵抗の試験方法は JIS Z 2101 で規定されており，割裂抵抗 C [N/mm] は

次式で求める。

$$C = \frac{P_{\max}}{a} \tag{5-6}$$

ここで，$P_{\max}$は最大荷重 [N]，aは割裂面の幅 [mm] である。
木材の割裂抵抗Cの値はおおむね20～50 [N/mm] とされている。
割裂抵抗に対する影響因子に知られていることをまとめると，

① 割裂抵抗は含水率10％付近でピークを示す。
② 密度と割裂抵抗の間には，密度の増加とともに割裂抵抗が大きくなるという傾向が認められるが，バラツキが大きく相関は高くない[14]。
③ 割裂抵抗は割裂面の組織構造的特徴，とくに放射組織の配列状態の影響を強く受ける。一般に，針葉樹の割裂抵抗は割裂面が板目面からまさ目面へと変化するにしたがって大きくなるが，逆に広葉樹では多くの場合小さくなる。その低下の割合は放射組織の断面積が大きく，またその数が多いほど著しい傾向にある[4]。
④ 節の存在の影響はせん断強度や横圧縮強度の場合よりも小さいが，節が存在すれば，木材の繊維走向が乱れるために割裂抵抗は大きくなる。

5.3 せ ん 断

物体の近接した平行な2断面に互いに反対方向に作用する一対の力，すなわち，せん断力によってずれやすべりを生じて破壊に至ったとき，この破壊をせん断破壊，この時のせん断応力をせん断強度(shearing strength)と呼ぶ。

ある方向にせん断応力τ_{xy}が作用するとき，図3-31に示すように，これと直交する方向に大きさの等しい，すなわち共役なせん断応力τ_{yx}が生じる。これら大きさの等しい一対のせん断応力を共役せん断応力という。したがって，せん断破壊はこれら共役せん断応力が作用する断面のうちせん断強度の小さい面で起こることになる。

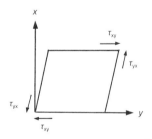

図3-31　共役せん断応力(模式図)[2]

木材は直交異方性体であるため，せん断強度は，破壊が起こる面(せん断面)

とその面に対するせん断力の作用方向によって著しく異なる。せん断力の作用する方向が繊維に平行な場合の強度を縦せん断強度といい，せん断力の作用方向が繊維方向と直角で，繊維を転がすようにせん断力が作用する場合の強度を横せん断強度という。横せん断強度は，通常，せん断面を板目面(LT面)あるいはまさ目面(LR面)に一致させて求めるが，必要に応じて追まさ面

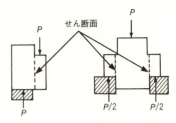

図3-32 せん断試験体(模式図)[2]

の場合について測定されることもある。一方，せん断力の作用方向が繊維方向と直角で，繊維を断ち切るようにせん断力が作用する場合の強度を繊維直交せん断強度という。繊維直交せん断強度は前述の縦せん断強度や横せん断強度に比べてはるかに大きいため，それと共役なせん断応力による繊維に沿った破壊が先行する。このため，繊維直交せん断強度の測定はきわめてむずかしい。

木材のせん断試験には，**図3-32**に示すように，破壊が起こり得るせん断面の数が1つの1面せん断試験体(いす型せん断試験体，**図3-32**(a))と，2つの2面せん断試験体(**図3-32**(b))とがある。JIS Z 2101では1面せん断試験体を用いることとしている。

JISにはせん断試験として縦せん断試験のみが規定されており，試験体の形状は**図3-32**(a)に示すいす型試験体で，せん断面を一辺が20〜50mmの正方形と定めている。試験は標準としてせん断面がまさ目面および板目面なるように実施することとしており，試験体をせん断用アタッチメントに装着して圧縮力を加えてせん断破壊させる。せん断強度 τ [MPa]は次式によって与えられる。

$$\tau = \frac{P_{\max}}{A} \tag{5-7}$$

ここで，$P_{\max}$は最大荷重[N]，Aはせん断面の面積[mm^2]である。

せん断強度は，その定義上せん断面に均一なせん断応力が作用して破壊した時のせん断応力であるが，せん断試験についての光弾性法[15]や有限要素法[16]による応力解析により，JISせん断試験においてせん断面の上端部付近にかなり大きなせん断応力集中がみられるとともに，せん断面にせん断応力以外に垂直応力

第5節 力学的性質各論

表3-7 いす型せん断試験体のせん断面と応力の方向によるせん断強度の相違[13]

[× 0.1 MPa]

せん断面	せん断応力の方向		いす型せん断 オウシュウアカマツ	いす型せん断 オウシュウブナ	いす型せん断 ベイマツ	いす型せん断 ヒノキ	ねじりせん断 ヒノキ	備考
板目面 (LT)	I	繊維に平行方向 (τ_{RL})	89〜112	147〜166	79	82	119〜199	縦せん断強度
	II	繊維に直角方向 (τ_{RT})	25〜40	44〜58	27			横せん断強度, ローリング・シアー
まさ目面 (LR)	III	繊維に平行方向 (τ_{TL})	110〜119	159〜179	82	87	149〜212	縦せん断強度
	IV	繊維に直角方向 (τ_{TR})	18〜36	65〜73	25			横せん断強度, ローリング・シアー
木口面 (TR)	V	接線方向 (τ_{LT})	267〜324	416〜446				繊維直交せん断強度
	VI	半径方向 (τ_{LR})	276〜355	368〜429				繊維直交せん断強度

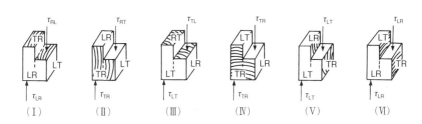

も作用することが明らかとなった。このことは，せん断面の寸法や形状によってせん断強度が異なったり，純粋なせん断応力による破壊の時よりも小さな強度が得られたりすることを意味する。しかし，同一寸法の試験体についてせん断強度を相対的に比較する場合にはこの試験法は有効である。現在のところ，後述（5.5ねじり）するねじり破壊がいす型せん断試験などと比べて純粋なせん断応力により起こることから，ねじり強度が真のせん断強度に最も近いとされている。

JISには横せん断強度は規定されていないが，ローリング・シアー（rolling shear）と呼ばれる繊維が転がる形のせん断は，例えば合板の接着力試験の時にみられる。このタイプのせん断強度は，表3-7からも判るように，他タイプのせん断強度よりもかなり低いため，使用上に際して出来るだけこのタイプの

せん断力が作用しないよう注意する必要がある。せん断面，せん断応力の方向ごとの木材のせん断強度を**表3-7**に示す。

5.4 曲　　げ

木材を構造部材として使用する場合など，木材は古くから圧縮方向だけではなく曲げの力（曲げモーメント）を受ける部分にも多く使用されてきたが，これは，木材の曲げに対する抵抗性が大きい

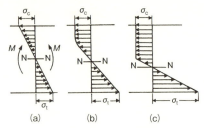

M：曲げモーメント，N：中立軸，
矢印：曲げモーメントの方向

図3-33　無欠点はりの断面における曲げによる応力分布の変化と中立軸の移動（模式図）[2]

注）(a)～(c)は曲げモーメントを受けてからの時系列の変化を示す。

ことによる。このため，木材の曲げの性能は材質判定上非常に重要であり，また，試験も比較的容易であることから曲げ強度（bending strength）は最もよく測定される力学的性質の一つである。

(1) 応力分布と曲げ破壊係数

細長い棒状の材料をはり（beam）といい，はりの軸線に直角に作用する荷重を横荷重という。はりに横荷重が加えられ，曲げモーメントが生じると，はりの横断面の下側には引張応力σ_tが生じて伸び，上側には圧縮応力σ_cが生じて縮む。ここで材料の断面が長方形であり曲げモーメントが小さく，応力とひずみの関係が比例限度以下と仮定すると，はりの断面における応力は**図3-33**の(a)に示すように高さ方向に分布する。この場合，はりの高さ（はりせいともいう）方向の中央に応力がゼロの軸（これを，中立軸（neutral axis）という）があり，その上下に圧縮応力と引張応力が直線的・対称的に分布する。木材の場合，曲げモーメントが増加すると，先に圧縮側の応力が比例限度以上になって塑性領域に入る。このため圧縮応力はひずみに応じた増加を示さなくなり，中立軸は軸方向の力の釣り合いを保つため引張り側に移動する。このときのはりの断面における中立軸の移動と応力分布の状態は**図3-33**の(b)および(c)に示すようになる。

曲げ試験においては，このような応力の分布を単純化して，はりの圧縮側も破壊時まで比例限度内にあり，応力分布は上下端に向かって直線的に増大して

いるものと仮定し、上下端の破壊時における応力を曲げ強度、あるいは曲げ破壊係数(modulus of rupture in bending, MOR)σ_b [MPa] と呼び、次式によって求めている。

$$\sigma_b = \frac{M_{max}}{Z} \qquad (5\text{-}8)$$

ここで、M_{max} は最大曲げモーメント [N・mm]、Z は断面係数 [mm³] である。なお、断面係数 Z は、はりが幅 b [mm]、高さ h [mm] の長方形断面を持つ場合 $Z = bh^2/6$ で与えられる。

(2) はりのせん断応力とたわみ

はりの断面に横荷重(はりの軸方向に垂直に作用する荷重)を加えると、はりの断面に曲げモーメントが生じる。この曲げモーメントがはりの軸方向で変化すると同時に、必ずせん断力 $P_s = dM/dx$ [N] が生ずる。そのとき、せん断応力 τ [MPa] は、次式で与えられる。

$$\tau = \frac{P_s}{A} \qquad (5\text{-}9)$$

ただし、A ははりの断面積 [mm²] である。

せん断応力は断面に均一に分布はせず、中立軸のところで最大 τ_{max} となり(**図3-34**)、この値は長方形断面では、断面における平均的なせん断応力の1.5倍の値をとる。[13]

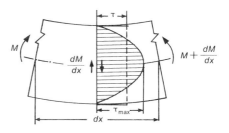

図3-34 曲げモーメントの変化とせん断応力の分布(模式図)[2]

はりのたわみは主として曲げモーメントによって生ずるが、このとき、たわみ δ があまり大きくないと仮定すると、スパン方向を x 軸にとった場合の任意の点におけるたわみ曲線の方程式は近似的に次式で表される。

$$\frac{d^2\delta}{dx^2} = -\frac{M}{EI} \qquad (5\text{-}10)$$

ここで、E ははりの軸方向のヤング率 [MPa]、M ははりの x の位置に作用する曲げモーメント [N・mm] であり、I ははりの断面2次モーメント [mm⁴] で

ある。はりが幅b[mm], 高さh[mm]の長方形断面を持つ場合$I=bh^3/12$で与えられる。

なお，せん断力によってもたわみを生ずるが，曲げモーメントによるたわみに比べると非常に小さいので通常は無視してもよい。

(3) 曲げ試験

木材の曲げ試験の方法としては，通常，単純はりを用いて，横荷重を両支持点の中央部に負荷する中央集中荷重（3点荷重）方式と，支持点から等距離の対称2点に負荷する4点荷重方式とが一般的である。

曲げ試験における軸方向（スパン方向）での曲げモーメントとせん断応力の分布は荷重負荷方法によって異なる。長方形断面をもつ木材はりの両端から梁せいと同程度の位置で支持し，中央集中荷重（3点荷重）方式と4点荷重方式で負荷した場合のせん断応力図と曲げモーメント図（スパン方向の各部位におけるせん断応力および曲げモーメントの向き，大きさを図示したもの）を**図3-35**に示す。

図からも判るように，中央集中荷重（3点荷重）方式の場合，曲げモーメントははりのスパン方向で直線的に変化し，スパン間の中央部において最大の値をとり，せん断応力は荷重点と両支持点の間で，大きさが等しく荷重点を境に逆方向の値をとる。これに対して，4点荷重の場合には，中央部の両荷重点間の内側では一定の曲げモーメントのみが存在し，せん断力は働かない。このため，

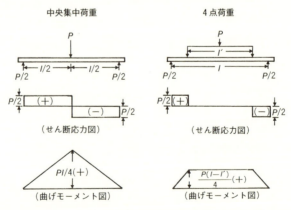

図3-35 荷重負荷方法の異なる曲げ試験におけるはりのせん断応力図および曲げモーメント図（模式図）[2]

第5節　力学的性質各論　　　*143*

　4点荷重方式は試験操作が多少複雑であるものの，曲げモーメントのみによる木材の変形や破壊の挙動を知るには好都合であることから，特に実大材の試験においてよく行われてきた。

　木材の曲げ試験について，JIS Z 2101 では中央集中荷重方式と4点荷重方式による試験を採用している。このうち中央集中荷重方式では，曲げ破壊係数(MOR)σ_b [MPa]，曲げ比例限度応力(proportional limit in bending) σ_bP [MPa]および曲げ弾性率(Young's modulas in bending, modulas of elasticity in bending, MOE)$E_\mathrm{b-ap}$ [MPa] を求めることと規定している。それらの算出式を以下に示す。

$$\sigma_\mathrm{b} = \frac{M_\mathrm{max}}{Z} = \frac{3P_\mathrm{max}l}{2bh^2}$$

$$\sigma_\mathrm{bP} = \frac{M_\mathrm{p}}{Z} = \frac{3P_\mathrm{p}l}{2bh^2}$$

(5-11)

$$E_\mathrm{b-ap} = \frac{\Delta Pl^3}{48I\Delta y} = \frac{\Delta Pl^3}{4\Delta ybh^3}$$

(5-12)

　ここで，M_max は破壊時の曲げモーメント，M_p は比例限度における曲げモーメント，P_max は最大荷重 [N]，P_p は比例限度荷重 [N]，l は支点間距離 [mm]，b ははりの幅 [mm]，h ははりの高さ [mm] であり，ΔP は比例限度領域における上限荷重と下限荷重との差 [N]，Δy は ΔP に対応するスパン中央のたわみ [mm] である。

　一方，4点荷重方式では，**図3-35** において荷重点間距離 l' を $l/3$ または $l/2$ とした曲げ試験によって曲げヤング率を求める方法を規定している。この場合，曲げヤング率 E_b [MPa] は以下の式によって求めることとしている。

　$l' = l/3$ とした場合

$$E_\mathrm{b} = \frac{\Delta Pl^3}{432I\Delta y}$$

(5-13)

　$l' = l/2$ とした場合

$$E_\mathrm{b} = \frac{\Delta Pl^3}{256I\Delta y}$$

(5-14)

　ここで，ΔP は比例限度領域における上限荷重と下限荷重との差 [N]，Δy は

ΔPに対応するスパン中央のたわみ[mm]である。

なお，曲げ試験において，5.4(2)で述べたように，せん断応力ははりの中立軸付近で最大となるが，スパンに対するはりの高さの比h/lが大きくなると，曲げ応力に対するせん断応力の割合が大きくなることによって，はりの中立軸付近で水平方向にせん断破壊(水平せん断破壊)を生じやすくなるため，本来の曲げ強度より低い値が求められることになる。したがって，曲げ試験を行う際にせん断破壊がほとんど生じることなく，安定して曲げ応力による破壊が生じるようにするため，JIS Z 2101でははりの高さに対する支点間距離の比l/hを12～16にするように定めている。

なお，前掲表3-5には，引張試験の結果とともに曲げ試験によって得られた比例限度応力および曲げ強度の値を示している。

5.5 ねじり

棒状体が，その中心軸のまわりに与えられた回転モーメントにより回転変形を受ける状態をねじりといい，破壊に至るまで回転モーメントを増加させていったときの最大応力(最大せん断応力)をねじり強度(torsional strength)という。

回転モーメントを受けている棒の内部には，図3-36に示すように純粋なせん断応力が発生している。ねじり試験に用いられる試験体には，円形断面のものと四角形断面のものとがあるが，どちらの場合にも，中心軸(図3-36中のz軸)に直交する断面(xy面)には，せん断応力τ_{zy}およびτ_{zx}が発生し，xz面およびyz面にはそれらと共役なせん断応力τ_{yz}およびτ_{xz}が分布する。互いに共役なせん断応力の大きさは，中心軸からの距離とともに大きくなり，試験体表面で最大になる。中心軸と木材の繊維方向を一致させてねじり試験を行った場合

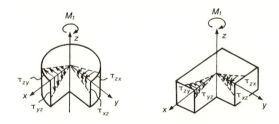

(a) 円形断面棒のせん断応力分布　(b) 四角形断面棒のせん断応力分布

図3-36　ねじりによって生ずるせん断応力の分布(模式図)[2]

（接線および放射方向をx, y方向のいずれかにとる），縦せん断強度は繊維直交せん断強度よりもかなり大きいのでτ_{zy}やτ_{zx}による破壊は起こらず，τ_{yz}あるいはτ_{xz}により繊維方向に沿って割れが生じる。

木材のような異方性材料では，実験により真のせん断強度を求めるのは困難であるが，繊維方向を長軸方向とした場合，まさ目面および板目面を繊維方向にずらすときのせん断弾性率（せん断弾性率と同義の用語として剛性率も使われる。特にねじりの場合，剛性率を用いることが一般的である）をそれぞれG_{TL}，G_{RL}としたとき，近似的に$G_{TL} = G_{RL}$が成り立ち，$\tau_{TL} = \tau_{RL}$と見なすことが出来ると仮定すれば，以下の式によってせん断強度F_t [MPa]を求めることが出来る。

円形断面の場合（直径：d [mm]）

$$F_t = \frac{16M_{t\,max}}{\pi d^3} \quad [\text{MPa}] \tag{5-15}$$

正方形断面の場合（辺長：a [mm]）

$$F_t = \frac{4.8M_{t\,max}}{a^3} \quad [\text{MPa}] \tag{5-16}$$

長方形断面の場合（辺長：a [mm], b [mm], $a<b$）

$$F_t = \frac{3M_{t\,max}}{a^2(b-0.63a)} \quad [\text{MPa}] \tag{5-17}$$

ねじり試験の応力集中の程度はいす型試験体によるせん断試験の場合よりも低いので，ねじり試験によって得られた値は，いす型せん断試験によって求められた値よりもかなり高く，真のせん断強度に近いと考えられている。

なお，ねじり試験の際，試験体は回転変形にしたがって軸方向に短くなるが，その縮みを拘束すると測定値に影響が生じることに注意する必要がある。

5.6 硬　さ

材料の硬さ（hardness）は，材料に硬い物体を圧入するときの抵抗力で示される。一般に材料の硬さには，①一定の寸法を持つ圧子を試料に押し当てて，試験面に永久変形を与えることにより，変形を生ずるに要した圧縮力と生じた変形の寸法から決定された硬さ（押し込み硬さ），②圧子と試料を相互に擦り付けた際の抵抗で示す引っかき硬さ，③剛球やハンマーなどの標準体を試験面に衝突させた際の抵抗で示す動的硬さ（反発硬さ）などがある。なお，押し込み硬さ

(ヤンカ硬さ，ブリネル硬さ，マイヤー硬さなど)や引っかき硬さは，動的硬さ(バウマン硬さ，ガーベル硬さなど)と比較して，変形の速度が緩やかであることから静的硬さに分類される。

このように様々な種類の硬さ試験法があるが，木材の硬さ試験方法はJIS Z 2101において，「めり込み硬さ」(ヤンカ硬さ)，「表面硬さ」(ブリネル硬さ)が採用されている。以下に木材に適用される代表的な硬さ試験について概要を述べる。

(1) ヤンカ硬さ(Janka hardness)

半径 5.64 ± 0.01 mm (投影面積 100 mm^2 = 1 cm^2)の剛球を半径と等しい深さまで(試験体に割れが生じた場合には，半径の半分の深さまで)木材表面に圧入し，そのときの荷重からヤンカ硬さH_J[N]を次式によって算出する。

$$H_J = KP \qquad (5\text{-}18)$$

ただし，Kは圧力深さ係数(圧入深さが5.64 mmのときは$K=1$，圧入深さが2.82 mmのときは$K=4/3$とする)，Pは既定の深さに圧入したときの力[N]である。

この方法は，我が国の規格には採用されていなかったが，欧米では以前から採用されていたことを踏まえ，2009年のJIS改正においてJISに追加された。

なお，この方法は凹みの深さが大きいため，木材のせん断破壊が生じやすいという欠点があるとされている。

(2) ブリネル硬さ(Brinell hardness)

金属材料に用いられるブリネル硬さの試験方法を木材に適用したもので，JISでは半径 5.00 ± 0.01 mmの鋼球を $1/\pi$ mm (約0.32 mm) まで圧入するのに必要な荷重P[N]を測定し，次式によりブリネル硬さH_b[N]を算出する。なお，(5-20)式の分母の10はこのときの圧入面の表面積が 10 mm^2 であ

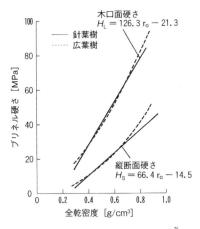

図3-37 ブリネル硬さと密度の関係[2]

ることによるが，硬さの単位としては [N] で表示するよう定めている。

$$H_{\mathrm{b}} = \frac{P}{10} \tag{5-19}$$

　木材のブリネル硬さは，**図3-37**に示すように，木口面，縦断面ともに木材の密度の増大にともなって増加を示すが，値の大きさは鋼球の圧入面が木口面であるか縦断面であるかによってかなり異なる。針葉樹材では木口面硬さ H_{RT} は 17～39 MPa，板目面硬さ H_{LT} は 2.9～17.6 MPa，まさ目面硬さ H_{LR} は 3.9～14.7 MPa の範囲に入り，広葉樹材では $H_{\mathrm{RT}} = 10.7～68.6$ MPa，$H_{\mathrm{LT}} = 5.8$～34.3 MPa，$H_{\mathrm{LR}} = 4.9～29.4$ MPa の範囲に収まる[2]。一般に，板目面硬さおよびまさ目面硬さよりも木口面硬さの方が大きいが，板目面硬さはまさ目面硬さにほぼ等しいか，わずかに大きく，おおむね $H_{\mathrm{RT}} : H_{\mathrm{LT}} : H_{\mathrm{LR}} = 2.5～3.3 : 1.1$～1.2 : 1 であるとされている[2]。しかし，測定に供される面積が $10\,\mathrm{mm}^2$ であり，木材の組織構造の変動に対して，十分に広い面積ではないことから，同一表面であっても測定箇所に含まれる組織の種類，たとえば，早・晩材の別，放射組織の量などによりかなり大きく変動する。

（3）マイヤー硬さ（Meyer hardness）

　半径5 mm の鋼球を材料に圧入することによって生じた凹みの投影面積あたりの荷重で次式によってマイヤー硬さ H_{M} [MPa] を表す[12]。

$$H_{\mathrm{M}} = \frac{4P}{\pi d^2} \ \ \text{または} \ \ \frac{4P}{\pi ab} \tag{5-20}$$

　ここで，P は圧入荷重 [N]，d は凹みの形状が円形の場合の直径 [mm]，a, b はそれぞれ，凹みの形状が楕円であるときの長径 [mm] と短径 [mm] である。

　なお，ヤンカ硬さ，ブリネル硬さ，マイヤー硬さなど鋼球の圧入による硬さ測定では，鋼球の圧入によって生じる変形は，木口面では縦圧縮であるのに対して，縦断面では横圧縮に続いて繊維方向の引張の寄与が増大し，繊維直角方向のせん断の影響も加わる。

5.7　衝　撃

　物体に衝撃的な力が作用したときの抵抗力を衝撃強さという。材料が衝撃荷重を受けて破壊したときに吸収あるいは消費されるエネルギーを衝撃吸収エネルギーといい，これを衝撃強さの尺度として用いている。一般にこの値が高い

ほど衝撃に対する抵抗性が高く，強靱であるとされ，低い場合には脆弱であると判断される。実用的に木材に衝撃力が加わる例としては，野球のバット，ゴルフのヘッド，登山ピッケルの棒などが挙げられる。

　衝撃試験の方法としては曲げ，引張，せん断があるが，木材に対して一般に行われている衝撃試験は衝撃曲げであり，単純支持されたはりの中央を振子ハンマーで打撃するシャルピー法がJIS Z 2101において採用されている。衝撃試験方法としては，他に切り欠きを持った片持はりの自由端を同様の振子ハンマーで打撃するアイゾット法，およびおもりを所定の高さから自由落下させ試験体を打撃する落錘式衝撃試験法がある。

　シャルピー法やアイゾット法のように振子ハンマーで打撃する方法では，一定の高さH_1に振り上げられた質量Mの振子ハンマーが試験体を破壊して反対側に振り上がったときの高さH_2を読み取り，位置エネルギーの低下量$M_g(H_1-H_2)$から破壊に要した仕事量Qを求める。すなわち，ハンマーの振り上げ設定角度をθ_1，木材試験体を打撃して破壊した後の振り上がり角をθ_2とするとし，ハンマーの腕の長さをlとすると，Qは次式で与えられる。

$$Q = M_g l (\cos \theta_1 - \cos \theta_2) \tag{5-21}$$

　浦上らは，長方形断面(幅b，高さh：衝撃方向)を持つ試験体の断面寸法と衝撃曲げ仕事量Qとの間には次式の関係が成り立つことを明らかにした。[17]

$$Q = U b^m h^n \tag{5-22}$$

ここに，Uは衝撃曲げ吸収エネルギー，m，nは定数である。

　一般に$m \fallingdotseq 1$であるのに対して，nは品質に応じて$1 \sim 10/6$の間で変化し，高品質材ほど高い値をとるとされている。[13]一方，北原は衝撃曲げエネルギーに関して$U = Q/(bh^2)$が適当であるとしている。[18]JIS Z 2101では衝撃曲げ吸収エネルギーU [kJ/m²] は，次式のように試験体の断面積A [mm²] で割った値で規定されている。

$$U = \frac{1000Q}{bh} = \frac{1000Q}{A} \tag{5-23}$$

ここで，bは幅 [mm]，hは高さ [mm] である。

第5節　力学的性質各論

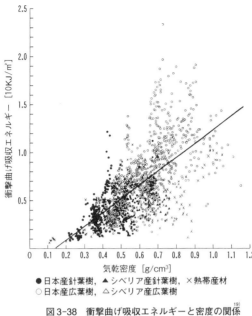

図3-38　衝撃曲げ吸収エネルギーと密度の関係[19]

　このように，衝撃曲げ吸収エネルギーは，かならずしも試験体の形状・寸法に対して規格化されたものとはいえないので，試験体間で衝撃曲げ吸収エネルギーを比較する場合には，断面寸法を出来るだけ正確に揃えたほうが良い。

　木材の衝撃曲げ吸収エネルギーUと他の力学的・物理的諸性質との関係を見ると，静的曲げ仕事量との相関係数は0.80，曲げ強度とは0.62，曲げ弾性率とは0.59，密度とは0.49の値が得られている。衝撃曲げ吸収エネルギーは破壊に要する仕事量であるため，静的曲げ仕事量や，曲げ強度との相関は高い。一方，多くの強度的性質と密度との相関が0.6〜0.9であるのに比べて，衝撃曲げ吸収エネルギーと密度との相関はこれよりも少し低い。この原因は，衝撃曲げ破壊が繊維走向の変化，目切れ，材質上弱点などの影響を強く受けるためである[20]。衝撃曲げ吸収エネルギーは，このように木材中の欠点の影響を強く受ける性質に着目して，放射線処理，腐朽処理等の処理材の劣化状況を評価するためにもしばしば利用される。

　衝撃曲げ吸収エネルギーの密度依存性は，単一樹種についてはあまり明瞭に

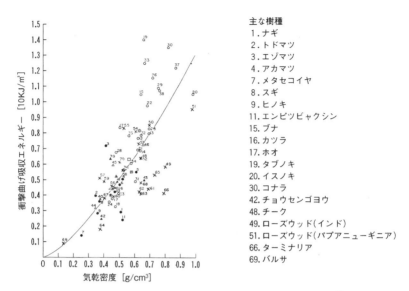

図3-39 樹種別平均値とした衝撃曲げ吸収エネルギーと密度の関係[20]

主な樹種
1. ナギ
2. トドマツ
3. エゾマツ
4. アカマツ
7. メタセコイヤ
8. スギ
9. ヒノキ
11. エンピツビャクシン
15. ブナ
16. カツラ
17. ホオ
19. タブノキ
20. イスノキ
30. コナラ
42. チョウセンゴヨウ
48. チーク
49. ローズウッド(インド)
51. ローズウッド(パプアニューギニア)
66. ターミナリア
69. バルサ

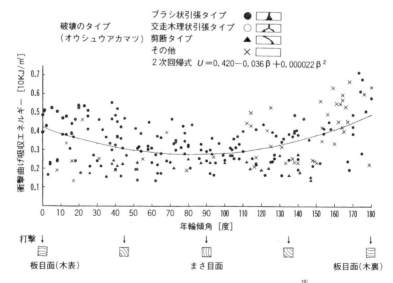

図3-40 衝撃曲げ吸収エネルギーと年輪傾角との関係[19]

破壊のタイプ (オウシュウアカマツ)
ブラシ状引張タイプ
交走木理状引張タイプ
剪断タイプ
その他
2次回帰式 $U = 0.420 - 0.036\beta + 0.000022\beta^2$

第5節　力学的性質各論　　　　　　　　　　　　　　　151

表3-8　衝撃曲げ試験による破壊形態の分類[2]

[%]

樹　　　種	ブラシ状引張破壊	交走木理引張破壊	せん断状破壊	その他
ヒ　ノ　キ	100			
ス　　　ギ	62	13		25
エ　ゾ　マ　ツ	89	7		4
ア　カ　マ　ツ	82	1	1	16
オウシュウ アカマツ	83		9	8
ク　　　リ	74	3	6	17
カ　ツ　ラ	70		7	23
ブ　　　ナ	62	7	25	6
ホ　　　オ	24	24	38	14

は認めれられないが，多樹種間で比較すると，図3-38，図3-39に示すよう
に気乾密度の増加にともなう衝撃曲げ吸収エネルギーの増加傾向が認められる。
衝撃曲げエネルギーU [J/m^2] と密度r_a [g/cm^3] の関係は次式で示される。

$$U = a r_a{}^b \tag{5-24}$$

　国内外の70樹種についての回帰分析の結果によれば，$b = 1.353$ ($1.10 \leq b \leq$
1.60：95％信頼区間)が得られており[20]，衝撃曲げ吸収エネルギーは密度に比例す
るよりも，もう少し強く密度の影響を受けるといえる。

　衝撃曲げ吸収エネルギーはまさ目面打撃の値よりも板目面打撃による値のほ
うが高い値を示す傾向にあり，また，バラツキも大きい。図3-40に，オウシュ
ウアカマツの衝撃曲げ試験における破壊形態を4種類に分類するとともに，衝
撃曲げ吸収エネルギーと打撃面との関係を示した。また，樹種と破壊形態との
関係を表3-8に示した。

5.8　摩　　耗

　摩耗(abrasion, wear)とは，2つの固体が接触して相対運動するとき，固体の
表面から次々と材料が削り取られて，材料損失が起こる現象である。すなわち，
摩耗は表面がすり減る現象であり，木材や木質材料にとって実用上重要な物理
現象の一つである。例えば，床板，引戸をはじめとする住宅内装材，家具類，
木製器具などの表面の摩耗は，日常の使用によって生じる。一方，摩耗を利用
した加工方法として，表面を平滑に仕上げるための研磨加工がある。

　摩耗を生じさせる主な要因としては，材料表面における摩擦，引っかき，打

撃などの作用があるが，これらの単独あるいはその組み合わせで摩耗は進行する。このため，摩耗現象を統一的な法則で規定することは困難である。木材に関する摩耗試験は，JIS Z 2101 に，また建築材料等の摩耗試験については JIS A 1451〜A 1453 に，規定されている。

JIS Z 2101 では研磨紙法と鋼ブラシ法が規定されており，木材表面を水平方向に回転させ，研磨紙法では研磨紙を，鋼ブラシ法では研磨鋼板，打撃鋼板，および摩擦ブラシを所定回数回転摩擦させ，木材試験体の摩耗による重量減少量から，厚さ摩耗量 D [mm] を次式によって求めるものとしている。

$$D = \frac{m_1 - m_2}{A\rho} \tag{5-25}$$

ここに，m_1, m_2 はそれぞれ試験前後の試験体質量 [mg]，A は試験体の摩耗を受ける部分の面積 [mm^2]，ρ は試験体の密度 [g/cm^3] である。

木材の耐摩耗性を表す摩耗抵抗は，木材表面の組織構造や異方性と関連して検討されている。摩耗抵抗(木材の単位体積を摩滅させるのに必要な仕事量)に最も強く影響を与える因子は密度である。**図 3-41** に示すように，摩耗抵抗は密度の増加にともなって増加する。また，関連して，細胞壁率や細胞壁厚さは摩耗抵抗と密接な関係を有し，両者の増加につれて摩耗抵抗も増加する。放射組織の量と摩耗抵抗間には，針葉樹材では相関が認められないが，広葉樹材では正の相関が認められる。

摩耗面による違いについては，板目面とまさ目面とでは差がないとされているが，摺動方向については**表 3-9** に示すように，繊維に直角方向の摩耗抵抗が，繊維に平行方向よりも低い。また，含水率の増加にともなって摩耗量は増大し，含水率 12％ の時に比べて含水率 20％ では 1.4〜2.4 倍に増加する[2]。**表 3-10** に，木材の素地

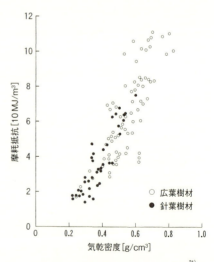

図 3-41　気乾密度と摩耗抵抗との関係[21]

第5節　力学的性質各論　　　　　153

表3-9　繊維に平行方向と直角方向の摩耗抵抗[22]

樹　　種	摩耗抵抗（×10 MJ/m³）		樹　　種	摩耗抵抗（×10 MJ/m³）	
	//	⊥		//	⊥
ヒ　ノ　キ	3.34	2.06	ト チ ノ キ	4.71	3.55
ヒ　　　バ	2.26	1.08	シ　オ　ジ	8.03	6.16
エ ゾ マ ツ	4.52	2.59	キ　　リ	2.13	1.96
ア カ マ ツ	4.92	3.61	シ ナ ノ キ	4.49	2.97
イタヤカエデ	6.49	4.21	ハ ル ニ レ	6.50	4.63
セ　　　ン	6.84	3.87	ケ　ヤ　キ	4.79	4.27
マ カ ン バ	10.73	6.94	ウォルナット	7.07	5.02
ア　サ　ダ	8.78	4.83	レッドラワン	5.09	3.53
カ　ツ　ラ	3.11	1.92	チ　ー　ク	3.74	3.25
ブ　　　ナ	5.15	3.14	マ ホ ガ ニ ー	3.43	2.72
ミ ズ ナ ラ	6.61	5.56			

//：繊維に平行方向，⊥：繊維に直角方向

表3-10　塗装材の摩耗抵抗[22]

[×10 MJ/m³]

樹　　種		未処理	NC ラッカー		アミノアルキッド		ポリウレタン	
		Un	T	T/Un	T	T/Un	T	T/Un
ブ　　ナ	//	4.8	5.58	1.16	6.17	1.28	10.01	2.08
	⊥	3.1	3.62	1.17	4.07	1.31	7.17	2.31
イタヤカエデ	//	6.7	8.91	1.33	9.84	1.46	9.38	1.40
	⊥	4.6	5.97	1.30	6.68	1.45	6.58	1.43
ウォルナット	//	7.1	8.65	1.22	8.63	1.22	9.22	1.30
	⊥	5.1	6.43	1.26	5.78	1.13	7.68	1.50
マ カ ン バ	//	10.1	11.73	1.16	11.46	1.13	10.86	1.08
	⊥	6.5	7.25	1.11	7.82	1.20	8.20	1.26

//：繊維に平行方向，⊥：繊維に直角方向，T/Un：塗装処理／未処理

面（未処理材）と塗装面（処理材）の摩耗抵抗を示す。塗装処理による摩耗抵抗の増加が認められ，最大では2倍にも増加するものもある。このように，木材・木製品の塗装は表面の美粧だけでなく，製品の保護すなわち耐摩耗性の向上の点でも有効である。なお，木材に耐摩耗性を付与させる方法としては，塗装の他に硬質樹脂を注入処理すること（含浸型WPC）も有効である。

5.9　疲　　労

応力が繰り返し作用することによって，材料の強度が低下する現象を疲労（fatigue）または疲れという。また，静的強度よりも低い応力が繰り返し作用す

ることによって材料が破壊する現象を疲労破壊(fatigue failure)という。疲労試験には，材料に一定の大きさの引張と圧縮の応力を交互に繰り返し与える交番応力による方法と，圧縮あるいは引張応力を繰り返し与える片振応力による方法があり，材料が破壊するまで試験が行われる。疲労試験の結果は与えられた応力のもとで材料が破壊するまでの繰返し回数で表され，このときの応力σと繰返し数Nの

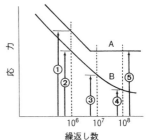

図3-42 応力−繰返し数線図(模式図)[2]

①時間強度(10^6) ④時間強度(10^8)
②時間強度(10^6) ⑤疲労限度
③時間強度(10^7)

関係は応力−繰返し数線図(stress-endurance diagram, σ–N線図(σ–N diagram)，またはベーラー曲線(Wöhler curve)とも呼ばれる)で示される。

応力−繰返し数線図の形は材料の種類や試験条件などによって異なり，**図3-42**に示すような2種類の曲線が現れる。図中の線Aは，繰り返し数の軸に平行な部分の応力よりも低い応力では応力の繰り返しを無限に与えても材料が破壊しない場合を表しており，その破壊を生じない最大の応力値を疲労限度(fatigue limit，疲れ限度または耐久限度ともいう)と呼んでいる。また，線Bのように疲労限度が明瞭に現れず，応力が低くなるにつれて破壊までの繰返し数が増加する場合もある。この場合の疲労の程度は，ある繰返し回数に耐える応力値を用いて表し(応力値の後に繰返し数を括弧に入れて示す)，これを時間強度(fatigue strength at N cycles)と呼んでいる。したがって時間強度は，繰返し数によってその応力値が異なることになる。これら疲労限度と時間強度を総称して疲労強度または振動強度(fatigue strength)という。

JISには木材の疲労試験は定められてはいないが，金属材料についてはJIS Z 2273〜2275，プラスチック材料についてもJIS K 7118〜7119で規定されている。木材についても，これらに準拠した回転曲げまたは平板曲げによって疲労試験が行われて

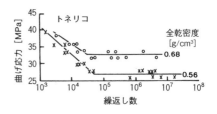

図3-43 応力−繰返し数線図[23]

第5節　力学的性質各論　　155

表3-11　交番応力による疲労強度[2]

樹　　種	気乾密度(g/cm^3)	含水率(%)	疲労強度(MPa)	F_f/F_s
カ　　　　バ	0.63	13	31.4(――――)	0.26
シトカスプルース	0.40	10〜12	$19.1(3 \times 10^6)$	0.34
ク　　ル　　ミ	0.60	8	$41.2(6 \times 10^6)$	0.30
欧州アカマツ(心材)	0.65	11	$41.2(3 \times 10^6)$	0.36

疲労強度の(　)内は繰返し数, F_f:疲労強度, F_s:静的強度

おり，回転曲げがよく用いられている。

　回転曲げ疲労試験は棒状試験体の両端を保持し，スパン中央から等距離の2点に一定の荷重を下向きに作用させた状態で試験体を回転させて行うものであり，この場合，荷重点間の試験体上の一部分に着目すると，その部分が上にきた時は圧縮，下にきた時は引張の応力が作用するため，回転によって引張と圧縮応力を交互に繰り返し受けることになる。

　回転曲げ疲労試験結果の例を**図3-43**ならびに**表3-11**に示す。

　一般に，交番応力による疲労限度は片振応力のそれよりも低く，前者は静的曲げ強度の26〜38%，後者は40%程度とされている[13, 24]。また，交番応力による疲労限度を縦圧縮強度と比較すると，針葉樹材で24〜34%，広葉樹材で25〜40%であり，樹種による大きな差異は認められない[25]。また，疲労限度に及ぼす含水率の影響は静的曲げ強度の場合とほぼ同じ程度で，スプルースでは含水率が11%から20%に増加することによって疲労限度は約35%低下することが知られている[26]。この他，疲労限度は，繊維走向や密度などにも影響され，繊維傾斜角が大きくなるほど減少し，密度が大きくなるほど増大するとされている[21]。なお，木材の疲労に関する研究においては，様々な応力レベルでの破壊までの応力の繰り返し数について，信頼区間を確率分布で求めることが重要な課題となっている。

5.10　座　　屈

　細長い柱状の材料は，断面寸法に比べて長さが短いときには，圧縮応力によって破壊するが，断面寸法に対して長さが長くなると，材質の不均一性，偏心荷重，元々の湾曲などに起因して曲げモーメントが作用し，荷重の増大とともにたわみが拡大し，柱は形状を保てなくなって崩壊する。この現象を座屈と

いい，このときの最大荷重を座屈荷重，応力を座屈強度(buckling strength)という。なお，座屈強度ははりのたわみの基礎方程式(微分方程式)を解くことにより得られるものであるが，紙面の制約により理論的解説は割愛する。詳細について知りたい場合は，材料力学に関する専門書で詳しく解説されているので参照されたい。座屈強度σ_{cr} [Pa] は次式により与えられる。

$$\sigma_{cr} = \frac{P_{cr}}{A} \qquad (5\text{-}26)$$

ここで，P_{cr} [N] は座屈荷重，A [m²] は柱の横断面の面積である。

柱が圧縮か曲げのどちらの作用によって破壊するかは，柱の形状の影響を強く受ける。柱の形状は以下に定義される細長比λの値によって，短柱，中間柱，長柱に区分される。

$$\lambda = l/i = l/\sqrt{I/A} \qquad (5\text{-}27)$$

ここで，lは柱の長さ [m]，iは断面2次半径 [m]，Iは座屈方向の断面2次モーメント(最小断面2次モーメント) [m⁴]，Aは断面積 [m²] である。

木材の場合，$\lambda \leq 30$ の場合を短柱，$30 < \lambda \leq 100$ を中間柱，$100 < \lambda$を長柱としている。

(1) 短　柱

短柱では座屈は生じず，圧縮応力によって破壊する。

(2) 長　柱

長柱の座屈は材料の弾性領域において起こり，座屈強度σ_{cr} [Pa] は(5-28)式で与えられる。この式はオイラー(Euler)の座屈式と呼ばれる。

$$\sigma_{cr} = \frac{P_{cr}}{A} = \frac{n \cdot \pi^2 \cdot E}{\lambda^2} \qquad (5\text{-}28)$$

ここで，E [Pa] は軸方向のヤング率，λは細長比，nは定数である。

この式から座屈強度は材料の圧縮強度ではなく，柱の軸方向のヤング率E [Pa] に依存することがわかる。なお，上式のnは図3-44に示すように，柱両端の支持条件に決まる係数で，一端自由(回転も変位も可能)・他端固定(回転も変位もできない)の場合は$n = 1/4$，両端ヒンジ(回転自由：変位できない)の場合は$n = 1$，一端ヒンジ・他端固定の場合は$n = 2$，両端固定の場合は$n = 4$であ

る。なお，木材ではほとんどの場合 $n=1$（両端ヒンジ）として扱われる。

(3) 中間柱

中間柱では細長比の低下にともない圧縮荷重が増加することにより塑性領域で座屈が起こる。このため(5-28)式で示すオイラーの座屈式は成立せず，この式で求められる荷重よりも低い荷重で座屈が起こる。このような座屈挙動について

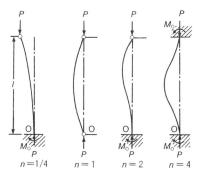

図3-44　柱両端の支持条件による座屈形状（模式図）[2]

は，テトマイヤー(Tetmajer)の座屈式，ランキン(Rankine)の座屈式，ジョンソン(Johnson)の放物線式といった様々な実験式が提案されている[27]。また，米国農務省林産研究所(Forest Products Laboratory)は木材に適用する実験式としてFPL曲線を提唱している[28]。

一方，我が国においては，日本建築学会が「木質構造設計規準・同解説」において，(5-29)式に示す学会規準式を示しており[9]，木質構造の設計の実務においてはこの式が用いられている。

$$\sigma_{cr} = \eta \cdot f_c \tag{5-29}$$

ここで，f_cは許容圧縮応力度(N/mm^2)，ηは試料の細長比に応じて決まる座屈低減係数であり，細長比$\lambda \leq 30$の場合$\eta = 1$，$30 < \lambda \leq 100$の場合$\eta = 1.3-$

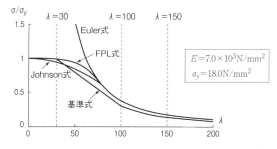

図3-45　種々の実験式における座屈応力度と細長比の関係（模式図）[29]

0.01λ, $100 < \lambda$ の時 $\eta = 3000/\lambda^2$ が適用される。

図3-45 に，学会規準式によって算出した座屈応力度と細長比との関係を示す。また，図中にはオイラーの座屈式，FPL曲線，ジョンソンの放物線式を併記した。この図より，学会規準式が種々の座屈式よりも安全側に設定されていることがわかる。

●引用文献

1) 山井良三郎：“木材の応力－歪曲線（第1報）”，林業試験場研究報告，No. 77，103-152（1955），“木材の圧縮異方性に関する研究”，No. 113，57-110（1959）

2) 高橋徹，中山義雄編：“木材科学講座3 物理（第2版）”，海青社，95，99，101，102，104-105，108-110，115-118，122（1992）

3) 森林総合研究所監修：“木材工業ハンドブック（改訂4版）”，丸善，135-137（2004）

4) 北原覺一：“木材物理”，森北出版，134，166-169，180-184（1966）

5) 杉原彦一ほか：“（改訂）基礎木材工学”，文教出版，126（1973）

6) J. B. Boutelje：“The relationship of structure to transverse anisotropy in wood with reference to shrinkage and elasticity”, *Holzforschung*, **16**, 33-46（1962）

7) R. Keylwerth：“Untersuchungen über freie und behinderte Quellung von Holz. Erste Mitteilung: Freie Quellung”, *Holz Roh-Werkstoff*, **20**, 252-259（1962）

8) F. Kollmann, W. A. Côté：*Principles of Wood Science and Technology* I, Springer-Verlag, 321-419, 345, 356-359, 376-378, 403（1968）

9) 日本建築学会編：“木質構造設計規準・同解説 ――許容応力度・許容耐力設計法――”，日本建築学会，171-179，222-231（2006）

10) 日本木材学会 木材強度・木質構造研究会編：“ティンバーメカニクス ――木材の力学理論と応用――”，海青社，82-84（2015）

11) 中戸莞二編：“新編木材工学”，養賢堂，211，214，219-221，223（1985）

12) 梶田茂編：“木材工学”，養賢堂，207，222（1961）

13) 渡辺治人：“木材理学総論”，農林出版，515-517，547，607-609（1978）

14) 藤田晋輔：“奄美大島に生育する広葉樹材の材質特性と用途(3)キルキ，イノスギおよびオキナワウラジロガシ材について”，鹿児島大学農学部学術報告，No. 40，193-199（1990）

15) 佐々木光，満久崇麿：“木材の応力解析：光弾性法による第2の試み”，木材研究，No. 41，90-96（1967）

第5節 力学的性質各論 *159*

16) 大草克己："木材のせん断に関する弾塑性論および破壊力学的研究：（第3報）椅子型（JIS）せん断試験体の応力特異性とエネルギー解放率"，鹿児島大学農学部学術報告，No. 31，201-215（1980）

17) 浦上弘幸，福山萬治郎："木材の衝撃曲げ吸収エネルギに及ぼす試片寸法，比重ならびに含水率の影響"，材料，**34**，949-954（1985）

18) 北原覚一："木材の衝撃曲げ吸収エネルギーの計算方法について"，東京大学農学部演習林研究報告，No. 38，153-163（1950）

19) 高橋徹ほか："衝撃曲げ吸収エネルギーの年輪傾角依存性"，島根大学農学部研究報告，No. 14，69-75（1980）

20) A. Takahashi *et al.*："Relationship between Specific Gravity and Absorbed Energy in Impact Bending"，*Mokuzai Gakkaishi*, **19**, 521-532（1973）

21) 鈴木正治："木材の摩耗の標準化試験と摩耗の異方性"，林業試験場研究報告，No. 298，126（1977）

22) 鈴木正治："木材表面の組織構造と摩耗抵抗"，林業試験場研究報告，No. 298，80（1977）

23) F. Kollmann："Melaminharze in der Holztechnik"，*Holz Roh-Werkstoff*，**10**，187-197（1952）

24) 伏谷賢美ほか："木材の物理"，文永堂，149（1995）

25) L. Vorreiter：*Holztechnologisches Handbuch I*, Georg Fromme & Co.，261，300（1949）

26) F. Kollmann：*Technologie des Holzes und der Holzwerkstoffe*, Springer-Verlag，878（1951）

27) 佐々木康寿："バイオ系の材料力学"，海青社，119-120（2015）

28) Forest Products Laboratory："Wood Handbook —Wood as an Engineering Material"，Forest Products Society，9-7, 9-8（2011）

29) 日本建築学会編："木質構造基礎理論"，丸善，66（2010）

第6節　力学的性質に影響を及ぼす諸因子

6.1 密　度

　木材実質の密度がほぼ一定であるため，木材の密度は細胞壁の割合に比例する。つまり細胞壁の割合が大きいと剛性や耐力が増加するなど，密度は力学的性質に大きく影響する。このために木材の密度は非破壊的に物性値を推定するためには最も重要な因子とされ，古くから研究がなされてきた。密度 γ と強度（強さ）f の間には以下の関係があるとされる。

$$f = a \cdot \gamma^b \qquad (6\text{-}1)$$

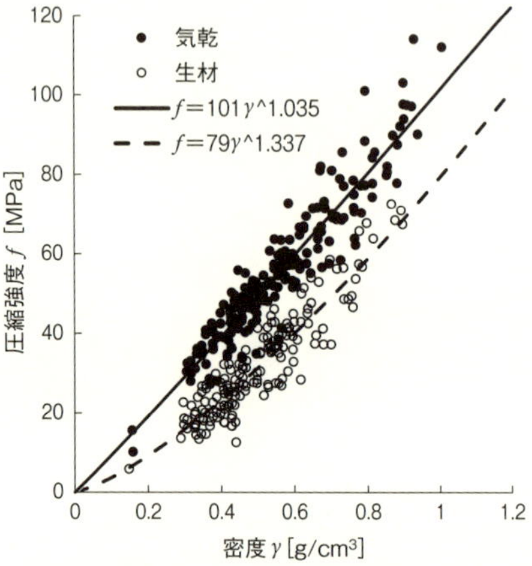

図3-46　生材状態および気乾状態での200樹種の密度と圧縮強度の関係

　実験で求められた密度と圧縮強度の関係の一例を**図3-46**に示す。同様の関係は，曲げ破壊係数や引張強度などでも見られ，それぞれの定数を**表3-11**に示す。繊維に平行な引張強度が密度との相関が最も高く，荷重を受け持つ細胞壁量が強度に対して重要な因子となっているからであると考えられている。一般に商業的に流通している樹種の密度の範囲では $b \fallingdotseq 1$ としても問題ないとされ，密度と強度は比例関係にあるとして扱われる場合が多い。

表3-11　密度と強度の関係における定数 a, b[2]

強　度	単　位	a		b	
		生　材	気　乾	生　材	気　乾
曲げ破壊係数	MPa	118	177	1.25	1.25
縦圧縮強度	MPa	79	101	1.377	1.035
引張強度	MPa		198		0.781
せん断強度	MPa		23.3		1.171

6.2 異方性と繊維傾斜

組織構造の影響により木材の物性は**表3-12**や**表3-13**のように繊維方向とその直交方向では大きく異なる。ヤング係数[※1](ヤング率)やせん断弾性係数[※1](せん断弾性率)などの弾性定数(elastic coefficient)に対する繊維方向との角度の影響は，材料力学の座標変換で導くことができる。2次元の平板内での弾性率の傾斜角度の関係は次のようになる。

$$\frac{1}{E_\theta} = \frac{1}{E_x}\cos^4\theta + \frac{1}{E_y}\sin^4\theta + \left(\frac{1}{G_{xy}} - \frac{2\mu_{xy}}{E_x}\right)\sin^2\theta\cos^2\theta \quad (6\text{-}2)$$

$$\frac{1}{G_\theta} = \left(\frac{4}{E_x} + \frac{8\mu_{xy}}{E_x} + \frac{4}{E_y}\right)\sin^2\theta\cos^2\theta + \frac{1}{G_{xy}}(\cos^2\theta - \sin^2\theta)^2 \quad (6\text{-}3)$$

$$\mu_{xy} = \frac{\left(\dfrac{1}{G_{xy}} - \dfrac{1}{E_x} - \dfrac{1}{E_y}\right)\sin^2\theta\cos^2\theta + \dfrac{\mu_{xy}}{E_x}(\cos^4\theta + \sin^4\theta)}{\dfrac{1}{E_x}\cos^4\theta + \dfrac{1}{E_y}\sin^4\theta + \left(\dfrac{1}{G_{xy}} - \dfrac{2\mu_{xy}}{E_x}\right)\sin^2\theta\cos^2\theta} \quad (6\text{-}4)$$

ここでE_θ，G_θおよびμ_θは材料軸xに対してθ度傾斜した方向のヤング係数とせん断弾性率，ポアソン比であり，E_x，E_y，G_{xy}およびμ_{xy}はそれぞれ平板内での材料軸x，yのヤング係数とせん断弾性係数およびポアソン比である。スギの例(**表3-12**)に従い，繊維方向(L)をx，放射(半径)方向(R)をyとして，LR面における弾性率の座標変換を行いL方向の値で基準化して比較した例を**図3-47**に示す。条件によっては，ポアソン比は負の値もとりえる。[3,4]

木材の強度におよぼす繊維傾斜の影響はハンキンソン(Hankison)の式が使われる。[5]

$$F_\theta = \frac{F_L \cdot F_T}{F_L\sin^n\theta + F_T\cos^n\theta} \quad (6\text{-}5)$$

ここでF_θは繊維方向からθ度傾斜した方向の強度，F_LおよびF_Tは繊維方向および繊維直交方向の強度である。指数nは実験的に決定される定数であり，引張強度では$n = 1.5 \sim 2.5$，圧縮強度では$n = 2 \sim 3$，曲げ強度では$n = 1.8 \sim 2.3$，

[※1] "ヤング率"，"せん断弾性率"と同義であるが，木材強度・構造研究分野において伝統的に"ヤング係数"，"せん断弾性係数"を用いることから，第3章第6〜8節では，これらの用語を用いることとした。

表3-12　スギの弾性定数の異方性(含水率15%)[6]

ヤング係数 (MPa)			せん断弾性係数 (MPa)			ポアソン比		
E_L	E_R	E_T	G_{LR}	G_{LT}	G_{RT}	μ_{LR}	μ_{LT}	μ_{RT}
7.4	0.59	0.29	0.64	0.34	0.015	0.40	0.60	0.90

表3-13　ベイマツの引張および圧縮強度の異方性[1]

含水率	引張 (MPa)		圧縮 (MPa)	
(%)	繊維方向	繊維直交方向	繊維方向	繊維直交方向
27	131	2.69	24.1	4.14
12	138	2.90	49.6	6.90

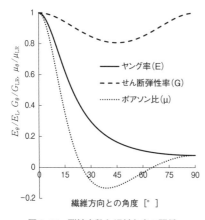

図3-47　弾性定数と傾斜角度の関係

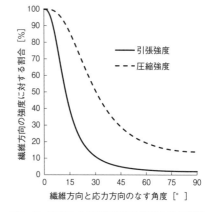

図3-48　引張および圧縮強度と傾斜角度の関係

衝撃曲げ吸収エネルギーでは$n=1.5\sim2.5$とされる[6]。剛性に対して$n=2$としてこの式が利用されることもある[1]。繊維直交方向を半径方向(R)として，**表3-13**の値を使って求めた強度と傾斜角度の関係を**図3-48**に示す。またハンキンソンの式は温度の影響を受けないことが示されている[7]。

6.3　節

節は木材の代表的な欠点であり，その周辺の繊維走行のみだれにより力学的性質に大きな影響を及ぼす。節の影響は引張強度に最も大きく表れ，小節で50％ほど，大きな節では80～90％低減する。圧縮強度ではそれぞれ10％，

20％低減するといわれる。曲げ強度では位置により影響が異なり，引張側にある節は強度の低減に大きく影響する。

節の影響を定量的に評価することは難しいが，実用的には節径比(knot ratio)や節面積比(knot area ratio)が用いられる。材幅に対する節の直径の比（節径比）や材の断面積に対する断面上での節面積の比（節面積比）は比較的相関がある（**図3-49**）。

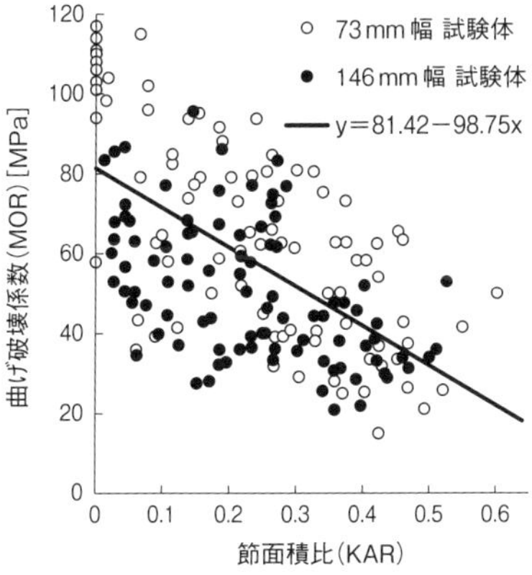

図3-49 節面積比と強度の関係[1]

6.4 温　度

温度が上昇すると分子運動の活発化や，結晶格子間隔の膨張などで力学的性質は低下する。一定の含水率の条件で，-200〜180℃の範囲であれば弾性率(E)や強さ(F)は次の式で近似される。

$$F_2(\text{or } E_2) = F_1(\text{or } E_1)\{1-c(T_2-T_1)\} \tag{6-6}$$

ここでF_1，F_2は温度T_1，T_2の時の強度，cは温度係数である。これより高温の状態では，熱分解のため力学的性質は急激に低下する。

温度の影響は，その状態に暴露される期間にも注意する必要がある。95℃以下で短期間の暴露では，温度の影響による強度の変化は可逆的である。しかし，95℃以上や65℃以上の長期間の暴露では，セルロース分子鎖が短くなったりヘミセルロースの化学変化が生じるなど，木材成分の熱劣化により温度の影響は不可逆的なものとなる。温度の上昇に伴い全ての木材強度が低下するが，靭性は特に熱劣化の

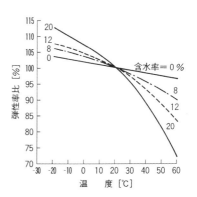

図3-50　弾性率と温度の関係におよぼす含水率の影響[8]

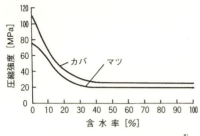
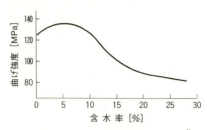

図3-51　圧縮強度におよぼす含水率の影響[8]　　図3-52　曲げ強度におよぼす含水率の影響[8]

影響を受ける．温度変化に繰り返しさらされたときは影響が蓄積し，通常はその劣化は針葉樹材より広葉樹材で顕著である．

温度の影響は含水率によっても異なり，含水率が高いほど大きい（図3-50）．含水率が高い場合は，リグニンやヘミセルロースの軟化温度が低下するため，それらの成分の割合が高い複合細胞間層付近で破断が起こりやすくなる．含水率の増加に対する強度低下には60℃近辺に低下割合が変わる変化点がある[9]．

6.5　含水率

木材の物理的特性は細胞壁実質の割合の影響を強く受ける．結合水の増減によって含水率が変化すると細胞壁の膨潤・収縮が生じ，木材実質の凝集力に変化があらわれる．このため繊維飽和点以下での含水率変化が力学的性質に与える影響は大きい．一方で，繊維飽和点以上では含水率変化は自由水の増減によるため，細胞壁実質の変化を伴わないので力学的性質にも影響を及ぼさない．典型的な含水率と縦圧縮強度の関係を図3-51に示す．横圧縮強度と硬さも同様の傾向を示すが，図3-52のように含水率5～8%で最大値をもつ場合があり，縦引張，横引張，曲げ，せん断および割裂でみられる．繊維飽和点以下で含水率が1%変化した時の弾性定数，強度および硬さの増減割合を表3-14に示す．

表3-14　含水率変化1%に対する力学的性質の変化率

力学的性質	変化率	力学的性質	変化率
曲げ弾性係数	4%	縦引張強度	2%
曲げ強度	2%	横引張強度	1.5%
縦圧縮強度	6%	硬さ(木口)	4%
横圧縮強度	5.5%	硬さ(側面)	2.5%
せん断強度	3%		

6.6 荷重速度（ROL）

荷重速度（rate of load, ROL）や長期荷重持続時間（duration of load, DOL）などの時間的因子は木材の力学的因子に影響を与える。そのため木材の試験方法（JIS, ASTM, UN, ISO など）では荷重速度などに規定がある。

荷重速度が増加すると破壊強度は増加し，その増加割合は含水率12%のときに比べて生材状態では5割ほど大きい。1例として25℃の温度でヒノキ気乾材の繊維方向の曲げ試験結果を以下に示す[10]。

$$E_b = 0.16 \log v + 13.0 \tag{6-7}$$

$$F_b = 2.45 \log v + 106 \tag{6-8}$$

ここで，E_b は曲げ弾性率（GPa），F_b は曲げ強度（MPa），v はたわみ速度（cm/min）である。

●引用文献

1) J. M. Dinwoodie："Timber; Its Nature and Behaviour, Second Edition", E & FN Spon, 161-165（2000）
2) 伏谷賢美ほか："木材の物理"，文永堂出版，155（1985）
3) 桑村仁："木材の割裂破壊線とフラクトグラフィ―― 鉄骨木質構造の研究 その6――"，日本建築学会構造系論文集，75，831-838（2010）
4) 村田功二，棚橋秀光："圧縮試験による木材のヤング率とポアソン比の測定"，材料，**59**，285-290（2010）
5) R. L. Hankinson；"Investigation of crushing strength of spruce at varying angles of grain." Air Force Information Circular No. 259, 3-15（1921）
6) 中戸莞二編："新編木材工学"，養賢堂，142，223（1985）
7) S. Suzuki *et al.*："Effect of temperature on orthotropic properties of wood. Part III: Anisotropy in the LR-plane". *Mokuzai Gakkaishi*, **28**, 401-406（1982）
8) 高橋徹，中山義雄編："木材科学講座3 物理（第2版）"，海青社，122-123（1995）
9) 林和男ほか："飽水木材のねじり強さと温度との関係"，木材工業 **28**，249-253（1973）
10) 奥山剛："木材の力学的性質に及ぼすひずみ速度の影響（第4報）曲げ強さに及ぼすたわみ速度と温度との影響について"，木材学会誌，**20**，210-216（1974）

第7節　弾性・強度の諸性質間の関係

7.1　強度間の相関関係

　木材の繊維方向の強度を比べると，無欠点小試験体の場合，一般に縦引張強度(F_{tL})，曲げ強度(F_b)，縦圧縮強度(F_{cL})，縦せん断強度(F_s)の順に強い。破壊応力に対して，比例限応力はおおよそ，曲げが1/2程度，縦引張りと縦圧縮は2/3程度である。図3-53は日本産主要樹種(針葉樹11種，広葉樹24種)の強度的性質の研究[1](中井・山井1982)の結果をもとに各種強度を比較したものである。縦圧縮強度を基準にすると，おおよそ，縦引張強度は3倍，曲げ強度は2倍，縦せん断強度は0.3倍程度(針葉樹は0.26倍，広葉樹は0.30倍)となる。せん断強度は，一般的ないす型せん断試験で評価した値であるため，応力集中を考慮すると，木材の本来のせん断強度はより大きな値と考えられる。また，同じ樹種であっても木材の材質は様々な要因で変わるため，ばらつきが生じ，各種強度やその比も異なる。

　木材は異方性材料であるため，繊維方向に対しては高い強度特性を示すが，繊維直交方向の強度特性は低い。特に針葉樹材は広葉樹材に比べて異方性の影響が現れやすい。異方性と強度特性の関係については，第6節を参照されたい。

　曲げ応力は圧縮応力と引張応力の複合的な状態なので，曲げ強度を他の二つ

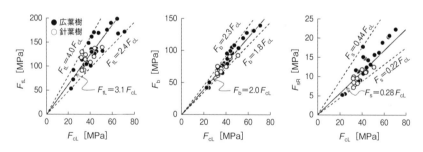

図3-53　各樹種における強度間の関係(気乾材)[1]

注) F_{sR} はまさ目面せん断の縦せん断強度。
　　図中の実線は両樹種の回帰直線。破線は傾きが最大または最小となる樹種の関係(すなわち，各点は破線間の関係の範囲にある)。

の強度から推定できると考えられるが,応力が曲げ強度付近に達すると木材は塑性変形を生じるため,解析的に曲げ強度を推定することは簡単ではない。また,木材のせん断強度は小さいため,せん断に起因して破壊することもある。矩形断面すなわち長方形または正方形の断面の木材の梁の曲げ破壊強度の推定モデル[2)3)]として次式が提案されている。

$$F_b = k F_{cL} \quad [\mathrm{MPa}] \qquad (7\text{-}1)$$

ここで,

$$k = \frac{3r-1}{r+1}, \quad r = \frac{F_{tL}}{F_{cL}} \qquad (7\text{-}2)$$

このモデルは,梁せい(beam depth:梁の下面から上面までの高さ)に対してスパン(span:支点と支点との間の距離)が十分長いとき,すなわち,引張破壊する場合を想定したもので,実験値[1)]とよく適合する(図3-54)。やや高度な内容であるが若干の補足を加えると,曲げ試験を行うとき,梁せいに対してスパンが十分長くないとせん断破壊を生じやすくなる。このことを利用して,スパンを梁せいの6倍程度に設定した曲げ試験で木材のせん断強度を評価する試験方法がある。また,曲げ強度を評価するための曲げ試験の方法は,前述の推定モデルに代表されるような理論に基づいて,適切に曲げ破壊(引張破壊)が生じるようにスパンと梁せいの関係が設定されている。

硬さは試験方法が比較的容易であり,これによってほかの強度的性質や加工的性質をある程度類推できるため,材料を選択する際の実用的尺度として用いられている[4)]。木口面硬さは縦圧縮強度と高い相関があり,同じ単位を適用した場合,縦圧縮強度は木口面硬さの,針葉樹で0.99倍,広葉樹で0.90倍程度の値となる[1)]。ただし,硬さ試験は局部的な材質を評価するため,試験体全体の強度を推定する場合には注意を要する。

図3-55に無欠点小試験体と実大材における強度の比較を示す。マッチングされた標本

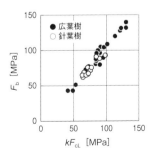

図3-54 曲げ強度の測定値と推定値の関係

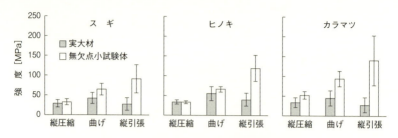

図 3-55　実大材と無欠点小試験体の強度の比較

注）無欠点小試験体は中井・山井の実験結果[1]による。
　実大材は「木材の強度等データおよび解説[5]」による。縦圧縮と縦引張は，構造用ⅡA（木口の短辺が 36 mm 以上で，かつ長辺が 90 mm 以上 150 mm 未満の材。正割，平割，正角に相当）。曲げはH1（長短辺とも 90〜135 mm の材）。エラーバーは，測定値が正規分布に従うと仮定した場合の 5〜95% 値。

ではないため概略の比較である。縦圧縮強度は大きくは変わらないが，無欠点小試験体に比べ建築構造用の実大材では，曲げ強度が低下し，縦引張強度は著しく低下する。そのため，無欠点小試験体では $F_{tL} > F_b$ であるが，実大材では $F_b > F_{tL}$ と関係が逆転する。無欠点小試験体に比べて実大材の強度が低下する主な原因として，試験体の大きさによる寸法効果，実大材に含まれる節，目切れ，割れなどの欠点による影響が挙げられる。影響の程度は強度の種類によって異なるため，強度の順位が入れ替わる。樹種によって強度の低下の割合が異なるのは，欠点の現れやすさが異なるためである。

　このように実大材の強度として無欠点小試験体の強度を直接適用することはできない。建築基準法の無等級材の基準強度は，無欠点小試験体の強度の知見を基に欠点による低減を考慮して決められている。また，近年は実大材の強度試験の結果を検討して，建築設計に用いる強度や許容応力度を設定する方法に移行してきている。許容応力度については第8節を参照されたい。なお，無欠点小試験体からの許容応力度の誘導については，専門書[6]を参照されたい。

7.2　弾性・強度間の相関関係

　ヤング係数は非破壊的に測定できるので，試験体の強度を予想する指標として利用されている。一般に木材は，引張，曲げ，圧縮などの強度は大きく異なるものの，各強度試験で観察される軸方向のヤング係数は大きく変わらない。樹種によって若干の差異はあるが，強度とヤング係数の比は概ね同様の値を示

表3-15 各樹種における無欠点小試験体の強度とヤング係数の関係（気乾材）[1]

	$F_{tL}/E_{tL} \times 10^{-3}$	$F_b/E_b \times 10^{-3}$	$F_{cL}/E_{cL} \times 10^{-3}$
針葉樹	13.0〜11.3〜9.5	9.7〜8.3〜7.2	4.9〜3.6〜2.6
（スギ）	9.9	8.1	3.5
広葉樹	15.1〜12.5〜8.7	11.3〜8.8〜5.8	4.5〜3.7〜2.7

注) Eはヤング係数，添え字は強度(F)に同じ．

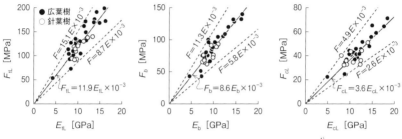

図3-56 無欠点小試験体の強度とヤング係数の関係（気乾材）[1]

す（表3-15，図3-56）。実大材においても，単一樹種におけるヤング係数と曲げ強度は高い相関関係を示すため，後述する機械等級区分に利用されている．

7.3 強度等級区分

建築構造等に木材を利用する場合，異方性や樹種による強度の違いを考慮し，まず，方向と樹種によって強度値を整理すれば，合理的な利用が期待できる。一般に樹種については，強度の近い樹種のグループ（樹種群）に従って区分される。同じ樹種でも強度にはばらつきがあるので，さらに合理的な利用を進めるには強度等級区分が必要となる．

設計用の強度値は安全に鑑み，通常は平均値ではなく，設定する強度値を下回るものが若干出現することを許容した下限値を適用する。統計的なばらつきが大きいと下限値は平均値よりもかなり小さな値となる。ばらつきを抑えるように細かく区分できれば，安全を担保したまま，合理的な設計用の強度値が設定できる。このような観点から木材を強度階級ごとに選別することを強度等級区分(stress grading)という。強度等級区分には，非破壊的な指標が必要であるが，指標の違いにより目視等級区分法と機械等級区分法の2つの方法がある．

目視等級区分法(visual stress grading)は，節や丸身等の欠点が強度に大きく

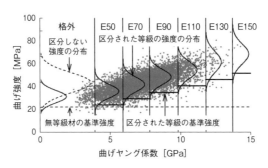

図3-57 曲げヤング係数と曲げ強度の関係ならびに機械等級区分の概念(スギの例)

影響することに着目し，目視観察した欠点の大小や量，位置に基づく規準で強度等級区分を行う方法である．この方法では概ね3階級程度に区分される．目視観察は，手間と時間を要するが，専用の装置を必要としない利点がある．

　機械等級区分法(mechanical stress grading)は，曲げ強度と相関関係の高いヤング係数(ヤング率)を専用装置で測定し強度等級区分を行う方法である．目視等級区分法に比べ区分精度が高く，より細かな等級区分が可能である(図3-57)．梁のたわみ計算に必要なヤング係数が明確となる利点もある．実務上は専用の機械等級区分装置(グレーディングマシン)の導入費用が必要なうえ，顕著な欠点は目視などにより別途選別しなければならないといった短所もある．

　機械等級区分法ではヤング係数が強度選別の指標として利用されている．無欠点小試験体では，密度のように，強度と相関関係が高い他の物性もあるが，同一樹種の実大材では高い相関関係はみられない．機械等級区分装置に採用されているヤング係数の測定方法には，比例限内の小荷重を載荷して静的ヤング係数を測定する小荷重載荷法のほか，木材の打撃音と密度から動的ヤング係数を測定する振動法がよく用いられる．なお，動的ヤング係数は静的ヤング係数よりも若干大きな値を示すことに留意する必要がある．

　縦振動法は，製材等のヤング係数の非破壊測定方法として我が国では広く普及した振動法である．縦振動法では材の平均的なヤング係数が評価されるため，梁せい方向のヤング係数の分布が顕著に異なると，静的曲げ試験で評価される曲げヤング係数と差異が生じる．このような場合にはたわみ振動法を用いる方

が適切である。

たわみ振動(横振動または曲げ振動)やねじり振動を利用すると，動的曲げヤング係数や動的せん断弾性係数を求めることができる。たわみ振動の各次固有振動を利用して，曲げヤング係数とせん断弾性係数(せん断弾性率)を同時に求めるTGH法(Timoshenkoのたわみ理論に基づくGoens-Hearmonの回帰法)といった方法もある。これらの方法は，木材物理分野で研究が醸成され，今日では木材工学分野で活用されるに至っている。振動法については第3章第3節を参照されたい。

超音波や打撃で生じる応力波の伝達時間からヤング係数を評価する方法もある。商用装置も市販されており，立木などの腐朽診断や建築物内の構造材の性能評価にも利用されている。

これらの動的弾性係数を測定する方法は便利な非破壊測定法であるが，測定対象の密度を知る必要があるため，重量測定が不可欠である。実務では，構造物の部材や桟積み材など，重量測定が困難な場合も多い。近年では，重量測定を省略するため，固有振動数のみで大まかに区分する，ヤング係数と密度の蓄積データを用いた統計的なシミュレーションにより密度を推定する，付加質量による固有振動数の低下を利用して密度を推定するといった提案もなされている。

●引用文献

1) 中井孝，山井良三郎："日本産主要樹種の性質——日本産主要35樹種の強度的性質"，林業試験場研究報告，No. 319，13-46 (1982)
2) 沢田稔："木材梁に関する研究(第1報)矩形断面梁の破壊条件と曲げ破壊係数"，林業試験場研究報告，No. 71，39-69 (1954)
3) 杉山英男："建築学構造大系 木構造"，彰国社，46 (1971)
4) 森林総合研究所監修："木材工業ハンドブック(改訂4版)"，丸善，137 (2004)
5) 木構造振興編："木材の強度等データおよび解説"，木構造振興，16-95 (2011)
6) 日本木材学会 木材強度・木質構造研究会編："ティンバーメカニクス——木材の力学理論と応用"，海青社，129-141 (2015)
7) 日本住宅・木材技術センター："構造用木材の強度試験マニュアル，IV. 動的弾性係数の非破壊測定方法"，54-76 (2011)

172   第3章　木材の力学的性質

第8節　許容応力度

構造物を建てる場合には，その構造部材として加わる荷重(力)に対して，使用期間中に大きな変形や破壊が起こらないよう，安全を確保することが必要となる。木材を構造材料として利用する際にも，地震や風などの外力(力)や，床やその上に設置する動かないものによる固定荷重，人間などの動的荷重を勘案した様々な荷重に対して木材の性能が十分かどうかを確認する必要がある。そのためには，木材の許容応力度(allowable stress)や弾性係数を元に，安全・安心に使用することが可能である，部材断面や接合部を構成できるようにする必要がある。この性能確保の計算に用いられる許容応力度は，木材の基準強度(standard strength)を元に与えられる値であり，部材に生ずる応力度として許容できる最大の値である。以下に，無欠点小試験体を用いた場合と，実大材を用いた場合についての基準強度の誘導と，許容応力度の導出方法を紹介する。

8.1　基準強度の誘導

(1) 無欠点小試験体からの誘導

わが国の木材の許容応力度の誘導に用いられる普通構造材の無等級材(建築基準法では無等級材，平成12年5月31日建設省告示第1452号)の基準強度(F)は，無欠点小試験体の基準強度値に基づいて誘導されていると考えられており，木質構造設計規準[1]に示されている。

$$F = {}_0F \times \alpha \tag{8-1}$$

${}_0F$：基準強度値にばらつき係数4/5を乗じたもの(統計的に5％下限値を指している)

α：節や繊維傾斜などの欠点と無欠点小試験体の強度に対する実大材の強度の比に応じた強度低減係数(強度比)

ちなみに，ばらつき係数4/5とは，正規分布とした場合の変動係数で12％程度と考えており，実際の実大材のばらつきよりも小さいことを申し添える。

木質構造基礎論[2]では，普通構造材の強度比αについては，曲げに対しては0.45，圧縮に対しては0.62と樹種を問わず一律の値を採用しており，引張りに

第8節　許容応力度　　　　　　　　*173*

対してはスギ実大材を対象とした一連の強度試験結果から，曲げの0.6倍とし
ていると記載されている。また，本書の改訂前には，普通構造材の強度比は，
圧縮材で0.63，引張材で0.39，曲げ材で0.63とされており，若干異なる結果と
なっている。ただし，これらの計算結果を基に，樹種群による基準強度値が示
されており例えば，²⁾ これらの値が現在も用いられている。なお，せん断強度に
ついては，欠点の影響はないものとして考えている。

（2）実大材からの誘導

　無欠点小試験体からの基準強度の算出には，強度低減係数などの実験により
ずに検討することが難しい係数が用いられていたため，実際に利用される寸法
での強度試験が重要であることが認識された。この考え（in-grade test）に基づ
き，製材用の試験体系が確立され，1980年代からの試験研究機関の材料試験
機の整備に伴い，最終的に利用される寸法による実大材の試験が実施されるよ
うになった。その結果，実大材の強度データが蓄積されるようになり，1991
年に制定された「針葉樹の構造用製材の日本農林規格（JAS）」に対応する許容
応力度の設定に際しては，これらのデータが利用され，構造用製材の日本農林
規格の基準強度（曲げ・縦圧縮・縦引張）として，平成12年5月31日建設省告示
第1452号に定められている。また，構造用製材の繊維に直角方向の強度，す
なわちめり込み強度は欠点の影響を受けないということで，気乾状態の無欠点
小試験体による比例限度を基に強度比100％として，平成13年6月12日国土
交通省告示第1024号において密度に対応した樹種群ごとに定められている。

　これら以外にも，木材のヤング係数と破壊強度などの関係を用いた，シミュ
レーションによる基準強度の算定も認められている。

8.2　許容応力度の導出

　構造用材料の許容応力度には，基準許容応力度（standard allowable stress）と
設計用許容応力度（design allowable stress）がある。基準許容応力度とは，基準
材料強度に材料の強度特性などを勘案して決定する安全係数（通常は2/3）と荷
重継続期間影響係数の基準となる継続期間に対応させるための調整係数で材
料のクリープ特性に基づいて決定される基準化係数（木材は1/2）を乗じたもの
となる。なお，原則として標準試験体を用いた標準試験により得られた強度分
布における信頼水準75％における5％下限値とした基準強度特性値（standard

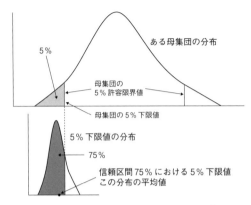

図 3-58　信頼区間 75％における 5％下限値

materials strength)とし，使用環境における劣化影響係数を乗じて計算された値を基準材料強度とする．ここで，信頼水準 75％における 5％下限値(95％下側許容限界値)について多少説明を加える．[2] 5％下限値とは，**図 3-58**に示すように，ある母集団における確率が 90％になる上下の許容限界値の下側の値を指す．信頼区間 75％とは，ある母集団の 5％下限値が同様に抽出した母集団の 5％下限値を下回る確率が 75％となることを指し，信頼区間 75％における 5％下限値とは，この 5％下限値の分布における平均値を指す．現在，基準強度の算出には，正規分布を仮定した計算が用いられている．

また，設計用許容応力度とは，基準許容応力度に部材の設計条件に応じた荷重継続期間影響係数，寸法による影響を加えるための寸法効果係数，材料の強度分布と配置される条件に基づいて決定されるシステム係数，使用環境区分に応じて決定される含水率影響係数を乗じたものとなり，実際の設計時に用いられるものとなる．なお，縦圧縮応力が負荷される部材の材料が長くなった場合には座屈を生じるため，許容応力度はその有効細長比(λ_e)に応じた座屈低減係数(η)を乗じることによって算出することとなっている．この有効細長比に応じた計算手法を下記に示す．

$\lambda_e \leq 30$ の場合　$\eta = 1$，
$30 < \lambda_e \leq 100$ の場合　$\eta = 1.3 - 0.01\lambda$，
$100 < \lambda_e$ の場合　$\eta = 3000/\lambda_e^2$

ここで，いくつかの調整係数について追記する。我が国では，荷重継続期間影響係数については，マディソンカーブ（Madison curve）を参照して，強度に及ぼす荷重継続期間による影響を勘案するための係数として，継続載荷実験などによる材料のクリープ破壊特性に基づき決定している。木材については，長期（50年）1.10，中長期（3か月）1.43，中短期（3日）1.60，短期（10分）2.00とする。なお，基準強度は250年で1.0となると考えている。

　また，木材は異方性材料であるため，荷重角度の繊維方向に傾斜する方向によりハンキンソン（Hankinson）の式を用いて許容応力度を調整する必要がある。木材含水率の増大による強度低下を勘案して，基礎ぐい，水槽，浴室など，常時湿潤状態にある箇所に使用する場合には，それぞれの許容応力度の70％の数値を用いることとなっている。

　このほかの寸法調整係数などは，用いる材料に併せてそれぞれの調整係数やその計算手法が，木質構造設計規準[1]や木質構造基礎理論[2]などに記載されているので参考にされたい。

●引用文献―――――――――

1）日本建築学会編：“木質構造設計規準・同解説――許容応力度・許容耐力設計法――”，丸善，13-15，149-168，395-412（2006）
2）日本建築学会編：“木質構造基礎理論”，丸善，5-6，40-47（2010）

付章　竹の組織構造と物性

竹は，樹木と同列にして語られることが多々あり，実際，その高さや，細胞壁や細胞間層の木質化の程度が樹木と同等であるといった類似点もある。しかし，竹は，形成層を持たず肥大成長をしない(年輪がない)，地下茎で繁殖を行うなど，樹木とは大きく異なる植物であり，材料としても同列にして議論すべきでない場合も多い。本章の竹材に関する事項と，他章の木材に関する事項とを比較することで，その違いの理解に繋げて頂ければ幸いである。

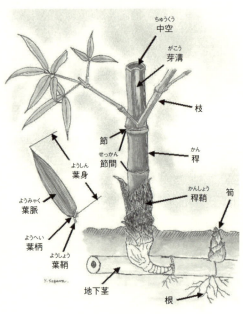

図1　竹の外観と部位の名称[1]

1. 竹の概要

日本においては，竹は，極端に寒冷な場所を除いて広い地域に分布しており，木材と並んで身近な植物由来の材料として利用されている。日本に分布している主な種としては，肉厚で大型であるため筍として食されるモウソウチク (*Phyllostachys pubescens*)，繊維が通直に走っており，まっすぐに裂き易いことから工芸品によく用いられるマダケ (*Phyllostachys bambusoides*)，姿形もマダケとよく似ており，加工性もよいハチク (*Phyllostachys nigra* var. *henonis*) など

が挙げられるが，それらのほとんどが中国や東南アジア地域から移入した帰化植物であるといわれている[2]。その組織構成や成分組成は木材とよく似ているが，竹は，イネ科に属する草本類であり，紅葉や落葉が6月前後に起こるなど，木材とは異なった独特の性質を数多く有する。その最たるものが，鮮やかな緑色の中空円筒に節を配置した竹稈であり，少ない実質部分で断面係数を稼ぎ，節によって座屈を防ぐ，さらに，稈が曲げられた際に大きな応力が発生する表皮側に強靭な靭皮繊維細胞をより多く配する，などといった点で非常に合理的な構造を有しているといわれている[3]。また，その成長速度も著しく，筍の段階から肥大成長を行わない代わりに，各節の上部に存在する分裂組織のそれぞれが細胞分裂を行い各節間が伸長することで（これを節間成長という），時には竹稈全体が一日に1mも伸びるなど，驚異的な速度で伸長成長を行い，数か月のうちに成竹と変わらない高さに達する。その後，3～4年が経過した竹稈から得られた竹材は，材料としての利用に適しているとされており，昔から釣竿や籠，扇子の骨など様々な製品に加工され，利用されてきた。本章では，そのような竹材の組織構造と物性について概説する。

2. 組織構造

竹材を構成する主な組織や細胞を，**表1**に示す。維管束とそれを取り囲む靭皮繊維細胞からなる維管束鞘（**図2**）は，表皮側ほど密に存在し，その横断面積は小さくなる。高さ方向の分布に着目すると，稈の上方ほど維管束と維管束鞘の占める横断面積率は大きくなり，材としても高密度である。このような繊維

表1　竹を構成する組織や細胞の名称[4]

組織名		構成細胞	特　徴
皮層部		表皮細胞	厚壁な細胞からなり，葉緑素やシリカを含む。
		表皮下細胞	1～3列の厚壁柔細胞からなる。
中心柱	基本組織（柔組織）	柔細胞	径が大きく，やや軸方向に長い，薄い細胞壁を持つ細胞からなり，細胞内腔にデンプン等を蓄積する。
	維管束	道管細胞 師管細胞	水分などの通導を担う，大型の細胞からなる。
	維管束鞘	靭皮繊維細胞	軸方向に細長い，壁厚の細胞からなる。
髄層		髄冠細胞	扁平で，壁厚の細胞からなる。

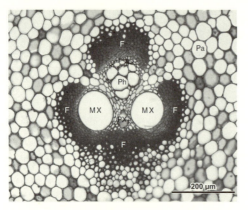
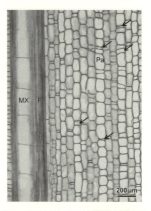

図2 モウソウチクの維管束鞘および周辺の柔組織(横断面)[5]
PX：原生木部，MX：後生木部，Ph：後生師部，F：維管束鞘，Pa：柔細胞

図3 モウソウチクの維管束鞘および周辺の柔組織(縦断面)[5]
MX：後生木部，F：維管束鞘，Pa：柔細胞。矢印は軸方向に短い柔細胞を示す。

質の組織以外の部分は，基本組織や柔組織と呼ばれ，柔細胞で構成されている。節間部材の割裂性の良さは，これらの維管束や柔細胞といった組織や細胞が，稈の軸方向に対して平行に配列していることで与えられている(図3)。それに対して，節周辺では，一部の維管束が節の隔壁部に入り複雑に屈曲し，その後，再び節間部に入り稈軸方向に走るものと，稈鞘が付着していた部分に出るものに分かれるなど，複雑な繊維走向

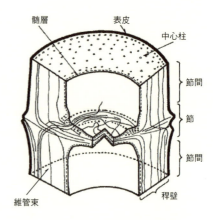

図4 節部における維管束の走向[6]

となっており(図4)，割裂性を損ね，力学的性質にも影響している。

2.1 細胞壁の構造

表皮細胞は，竹稈の最外層に一層だけ存在し，木化した二次壁を持つ厚壁の細胞である。表皮下細胞は，表皮細胞の内側に1～3層存在する，厚壁の柔細胞である。また，他のイネ科の植物にもみられる特徴として，シリカが皮層部

2. 組織構造

図5　靭皮繊維細胞の壁層構造[7]

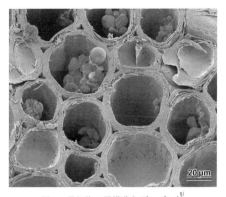

図6　柔細胞の層構造とデンプン粒[5]
試料はアルカリ処理されているため隔壁層が僅かに分離している。細胞内腔にはデンプン粒が貯蔵されている。

に集中して存在するとともに，葉緑素も存在している。

靭皮繊維細胞は，直径が10～25 μm，長さが1～2 mmの細長い細胞であり，道管や師管を取り囲むように存在する維管束鞘を構成する。その細胞壁は，**図5**に示すように，ミクロフィブリル傾角が小さい厚い壁層と大きい薄い壁層が交互に積層した多層構造となっており，細胞壁が厚く竹材に弾性や割裂性を与えている。

柔細胞は，直径が20～70 μmのやや縦に長い俵型の細胞で，靭皮繊維細胞と同様に多層構造の細胞壁と単壁孔を有しており，ミクロフィブリル傾角が大きな壁層と小さな壁層が交互に積層している。また，**図6**に示すように，細胞内腔にデンプン粒を貯蔵しているものもある。

2.2　成分組成

竹材は，木材と同様に，主にセルロース，ヘミセルロース，リグニンから構成されており，セルロースの結晶化度が約50％である[8]点も同様であるが，含有比はおおよそ4：3：2と，木材に比べてややセルロースの割合が少ない。また，リグニンを構成するフェニルプロパン単位が3種類存在し，それら3種の比が，未成熟の細胞と成熟した細胞，柔細胞と靭皮繊維細胞とでやや異なる[9]。無機成分の含有割合は約3％と木材に比べてやや高いとされ，**表1**に示したように，表皮にケイ酸や葉緑素を含有する細胞を含んでいるのが特徴である。竹

材を扱う際に特に気を付けなければならないのは，抽出成分のひとつである低分子糖類と柔細胞中に含まれるデンプン(**図6**)であり，それらは虫害や腐朽を引き起こす原因となる。

3. 物理的性質

3.1 力学的性質

日本に生育する主な種の竹材の力学的性質を，**表2**に示す。組織構造の項で述べたように，維管束の分布は半径方向に傾斜配向しているが，その平均的な性質としては，木材に比べて密度が大きく，繊維方向の力学的性質に優れている。表皮側と髄層側の力学的性質を比較すると，**表3**に示すように維管束が多く含まれる表皮側で，より高い力学的性能を有している。**図7**に示すように竹材の稈軸方向の力学的性質は，試験片中に含まれる維管束鞘の割合に依存する。竹稈の高さ方向においては，上方ほど維管束鞘の占める面積割合が大きいこと

表2 竹材の力学的性質[4, 10, 11]

竹の種類	密度 (g/cm³)	圧縮弾性率 (GPa)	圧縮強度 (MPa)	引張弾性率 (GPa)	引張強度 (MPa)
モウソウチク	0.76	15	65.44	19.35	197.37
マダケ	0.82	—	59.54	30.84	272.83
ハチク	—		40.32	37.17	178.48

竹の種類	曲げ弾性率 (GPa)	曲げ強度 (MPa)	せん断強度 (MPa)	ブリネル硬さ(MPa)		
				木口面	まさ目面	板目面
モウソウチク	12.38	156.73	16.67	46.1	22.5	18.5
マダケ	15.10	185.95	16.67	—	—	—

(※力学試験の荷重方向は繊維方向)

表3 髄層側および表皮側の竹材の力学的性質[10]

竹の種類	部 位	引張弾性率 (GPa)	引張強度 (MPa)
モウソウチク	髄層側	8.37	87.53
	表皮側	33.07	292.66
マダケ	髄層側	21.98	146.23
	表皮側	51.34	339.49
ハチク	髄層側	20.39	123.78
	表皮側	53.93	233.53

(※荷重方向は繊維方向)

3. 物理的性質

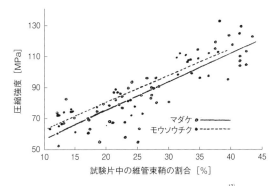

図7 維管束鞘の割合と圧縮強度の関係[12]

により，高強度になる。節周辺では維管束の走行が乱れていることから，節を含む竹材は，節間部の材に比べて稈軸方向の引張強度が低い(**表4**)。

3.2 竹材と水

3.2.1 竹材の含水率

生材状態の竹材の含水率は，伸長成長終了から間もないものでは非常に高

表4　節間部と節部の力学的性質の違い[10]

竹の種類	試験片中の節の有無	引張強度 (MPa)
モウソウチク	あり	151.94
	なし	197.37
マダケ	あり	182.11
	なし	272.83

(※荷重方向は繊維方向)

く，モウソウチクでは300％を超えることもあるが，それから3～4年も経過すると50％程度に落ち着いてくる。また，竹稈の高さ方向にも含水率の分布があり，竹稈の下方では100％程度であるが，上方では40％程度と低く，節部は隣接する節間部に比べて含水率が低い[13]。

3.2.2 含水率依存性

竹材も木材と同様に，繊維飽和点以下で含有水分の量が変化することによって，寸法や力学的性質が変化する(**表5**)。木材と比べて特徴的なのは，繊維方向の寸法安定性であり，竹材において半径方向，接線方向の含水率1％あたりの収縮率がそれぞれ，0.27％，0.25％であるのに対して[15]，繊維方向では生材状態から全乾状態への収縮率が0.1～0.3％と非常に小さい[4]。これが，竹を定規の材料として用いる由縁である。また，繊維飽和点については，圧縮強度(**図8**)や他の力学的性質と含水率の関係から導出することができ，15～20％程度と

表5 種々の含水状態のモウソウチク材の力学的性質[14]

含水状態	曲げ強度 (MPa)				せん断強度 (MPa)		ブリネル硬さ (MPa)					
	髄層側	含水率 (%)	表皮側	含水率 (%)	全部	含水率 (%)	木口面		まさ目面		板目面	
							表皮側	髄層側	表皮側	髄層側	表皮側	髄層側
全乾	156.91	0.5～1.5	368.83	0.5～1	17.85	1	89.24	64.72	36.28	39.23	36.28	33.34
気乾	141.22	12～13	263.80	12～12.5	11.18	13.5	61.78	31.38	28.44	16.67	20.59	16.67
水漬	118.66	76～90	241.24	41～55	8.53	66	48.05	26.48	26.48	12.75	16.67	12.75

木材よりやや低いとされている。

4. 生育中の材質の変化
4.1 竹齢と材質の関わり

発筍(はっしゅん)から間もない筍の段階では，竹材を構成する各種細胞の細胞壁は薄く，また，リグニンの沈着も起こっておらず，軟らかい材を有している。その後，伸長成長を終えた節間から順次，軸方向では節間の上方から下方に向けて，半径方向では表皮側から髄層側に向けて，また，柔細胞に先駆けて靭皮繊維細胞において，リグニンの沈着や壁層数の増加が起こることで，細胞壁の肥厚が進んでいくとされている[16]。この細胞壁

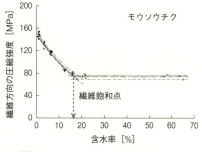

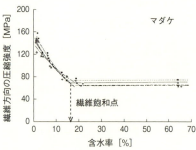

図8 圧縮強度の含水率依存性と繊維飽和点の導出[17]

の壁層数の増加は，発筍してから2～4年目までの間に進行する。

竹齢と引張弾性率，曲げ強度との関係を図9，図10にそれぞれ示す。竹材を構成する細胞の厚壁化に伴って，竹材の力学的性質も上昇し[18,19]，表皮側と髄層側の差も経年と共に小さくなる。両者の値に顕著な上昇がみられるのは，発筍から3，4年程度が経過するまでの期間であり，それ以降の上昇量は極めて小さい。竹を材料として利用する場合には発筍後3～4年程度経過した竹が適するとされることは，竹齢と力学的性質との関係から，理にかなっていると言える。

4.2 構成成分の季節的な変化

竹材の材質は，上述したように年単位で変化するが，構成成分は季節によっても変化する。中でも竹材を利用する上で重要なのが，生材含水率やデンプン，低分子糖類を多く含む抽出成分の含有量である。生材含水率が高い場合，材が重くなることに加えて，乾燥工程にかかる時間も長くなり，伐採から加工までの間にかかる労力が大きくなる。また，デンプンや低分子糖類が多い場合，チビタケナガシンクイムシ（図11）を代表とする害虫や，腐朽菌，カビ等を誘引し，材の劣化を引き起こす原因となる[20,21]。

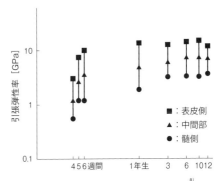

図9 竹齢の異なる竹材の引張弾性率[8]

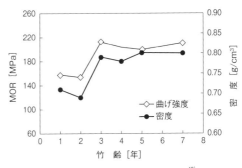

図10 竹齢の異なる竹材の曲げ強度[19]

生材含水率は，発筍した年に大きく低下し，1年生以降では竹齢の増加と共に徐々に低下する。季節的な周期をもつ変化は小さいが，秋から冬にかけてはやや生材含水率が低くなる。

抽出成分とデンプンの量には関連があり，デンプンは初夏から夏にかけて減少し，晩秋までは少ない状態で推移するが，冬から春にかけて再び増加することが知られており，抽出成分の量は，デンプンの増加する期間で多く，デンプンが減少する期間で少ないとされる[22]。このような糖類の増減には，筍を生やすための栄養の貯蔵と消費が関係すると考えられるが，全ての竹

図11 チビタケナガシンクイムシ（大内成司氏提供）

稈が筍に栄養を送る親竹として糖類を貯蔵しているわけではなく，竹稈によって糖類の含有量の差は大きい。昔から，「木六竹八」という言葉があり，「木は旧暦の6月(現在の暦における7月)に，竹は旧暦の8月(同9月)に伐るのが良い」とされているが，高温多湿で材が傷みやすい夏場に竹材を保管することを避けるという点でも，これは非常に理にかなった伝承であるといえよう。

竹材利用について，力学的性質(前節)および生材含水率の観点からは，発筍から4年程度が経過した竹を9月から11月の間に伐採するのが良いといえる。

5. 竹材の利用に関して

5.1 乾　燥

糖類が少ない時期に伐採した竹においても自然乾燥中にカビが発生することが多々あることから，乾燥を短期間で行うために人工乾燥が行われる。このときに，生材状態といった高い含水率状態から急激に乾燥させると，特に細胞壁厚の薄い若い竹において，落ち込みが発生することがある。成熟した竹の材であっても，表皮側と髄層側の密度差に起因する収縮率の違いから，乾燥割れが発生しやすくなる。現在では，様々な乾燥方法が開発されているが，古くから用いられているのは，40〜60℃の蒸気乾燥であり，加えて，前処理として抽出処理を行うことで乾燥速度が大きくなる。[4]

5.2 油抜き

竹材を利用する前段階として，竹材表皮からの乾燥速度を速めて竹材の保存性を高めるために油抜きという作業が古くから行われている。油抜きは，基本的に丸竹のままで行われ，乾式法と湿式法の2種類がある。乾式法では竹稈を火で直接あぶり，表面に滲み出た油分や水分を随時ウエスでふき取る。湿式法では数パーセントのアルカリ溶液等で竹を煮沸することで油分を溶かし出し，竹表面に浮き出た油分等をウエスで拭き取る。その後，乾式法では陰干しを，湿式法では天日干しを行うことによって竹材を乾燥させる。この工程を経ることで，葉緑素が紫外線で壊され表皮が象牙色になる。

6. 海外における竹

日本以外にも，中国や東南アジアを中心に様々な種の竹が分布している。中

6. 海外における竹　185

表6　外国産の竹材の力学的性質[23]

学　名	主な生育地	含水状態	密度 (g/cm^3)	曲げ強度 (MPa)	曲げ弾性率 (GPa)	圧縮強度 (MPa)	せん断強度 (MPa)
Bambusa arundinacea	インド	生材	0.58	73.47	9.24	33.75	—
		乾燥	0.65	95.38	12.13	63.78	—
Melocanna beccifera	パキスタン，ビルマ，インド	生材	0.75	52.05	11.17	35.03	—
		乾燥	0.82	56.35	12.69	68.38	—
Thyrsostachys oliverii	タイ，ビルマ，インド	生材	0.73	60.56	9.51	45.88	—
		乾燥	0.76	88.05	11.86	56.74	—
Bambusa blumeana	マレーシア，インドネシア，インド，フィリピン	生材	—	104.03	4.14	27.08	4.81
Bambusa vulgaris	マレーシア，インドネシア，スーダン，南アメリカ，タイ，フィリピン，バングラデシュ	生材	—	60.90	6.96	28.17	4.53
Gigantochloa scortechinii	マレーシア	生材	—	59.43	4.96	28.79	4.52

でも目を引くのがジャイアント・バンブー(giant bamboo)のように大径の竹稈が株立ちのように叢生(地面のある一か所から何本もの茎が生える)する姿である。また，スパイニー・バンブー(spiny bamboo)のように節や枝から棘状の突起が生えた種も存在するなど，日本において一般的に想像される竹の姿とはやや異なっており，叢生する竹を「バンブー」と呼んで「タケ」と区別することもある。海外における竹林の利用方法は，パルプ原料や建築材，家具材などであるが，その中でも特徴的なのが，竹稈を円筒構造のまま利用することである。そのような外国に生育する竹のうち数種の竹材の力学的性質を**表6**に示す。

●引用文献

1）森林総合研究所 関西支所："竹の部位図" URL： http://www.ffpri.affrc.go.jp/fsm/business/jumokuen/bamboo-part.html
2）鈴木貞雄："日本タケ科植物総目録"，学習研究社，70（1978）
3）尾田十八："竹材の力学的構造と形態"，日本機械学科論文集，No. 46，997-1006（1980）
4）佐藤庄五郎："図説 竹工芸"，共立出版，12-19（1974）

5) 福島和彦ほか編："木質の形成 バイオマス科学への招待(第2版)", 海青社, 76-80 (2011)

6) 杉山滋："竹材の顕微鏡的構造：とくに，モウソウチクの節部稈壁および隔壁におけ維管束の配列状態を中心として", 長崎大学教育学部自然科学研究報告, No. 34, 89-109 (1983)

7) 東野哲三，大野一月："製紙原料としての竹繊維の形態的構造と物理的性質に関する研究(第2報)層状構造とその酸処理による変化", 木材学会誌, 8, 245-249 (1962)

8) 野村隆哉："＜総説＞竹の生長について", 木材研究・資料, No. 15, 6-33 (1980)

9) 樋口隆昌ほか："竹の維管束および柔細胞リグニンの化学的性質の差異", 木材学会誌, 12, 173-178 (1966)

10) 中元藤英："竹の利用と其の加工", 丸善, 351-366 (1942)

11) P. G. Dixon, L. J. Gibson："The structure and mechanics of moso bamboo material", *Journal of The Royal Society Interface*, 11(99), 1-44 (2014)

12) 太田基："竹材の性質に関する研究(第7報)：竹片の構成因子と比重及び壓縮強度", 九州大学農学部演習林報告, No. 19, 25-47 (1951)

13) 松本浩ほか："金沢市におけるモウソウチクの生材含水率と節間長", 石川県林業試験場報告, No. 43, 27-29 (2011)

14) 鈴木寧："竹林の研究(第5報)モウソウチク材質の固体差及び林分による変異について", 東京大学農学部演習林報告, No. 38, 165-177 (1950)

15) 森林総合研究所監修："木材工業ハンドブック(改訂4版)", 丸善, 192 (2004)

16) 宇野昌一："竹材の性質とその適用", 西ヶ原刊行会, 1-10 (1939)

17) 太田基："竹林の性質に関する研究(第9報)：竹材の圧縮強度と含水率との関係", 九州大学農学部演習林報告, No. 22, 87-108 (1953)

18) 桐生智明ほか："成長に伴うモウソウチク(*Phyllostachys pubescens*)の物性発現機構(第1報)：曲げ弾性率と柔細胞および繊維細胞の細胞壁厚・壁率の関係", 木材学会誌, 62, 61-66 (2016)

19) 大内成司ほか："同一竹林内における竹材の曲げ強度特性について", 大分県産業科学技術センター研究報告(平成14年度), 108-111 (2002)

20) 東巽："マダケの伐季と蟲害に就て", 日本林學會誌, 23, 329-332 (1941)

21) 浜口隆："竹材の伐採時季と腐朽に就て", 日本林學会誌, 35, 85-87 (1953)

22) 平野陽子ほか："伐採時期がマダケの生物的劣化に及ぼす影響", 木材学会誌, 49, 437-445 (2003)

23) Mansur Ahmad："Analysis of Calcutta Bamboo for Structural Composite Materials", PhD Thesis, Virginia Polytechnic Institute and State University (2000)

資　料

1. 本書で用いる単位系について

　自然科学系の学問分野において単位は極めて重要であり，個々の単位を系統的に関係づけている単位系を理解することは，個々の物理量の理解を容易にし，その分野の学問体系の理解に役立つと言っても過言ではない。

　現在，我が国では，国際単位系(SI：International System of Units)が用いられており，本書でもこれを用いている。この単位系は，7つの基本単位，すなわち，長さ：m(メートル)，質量：kg(キログラム)，時間：s(秒)，電流：A(アンペア)，熱力学温度：K(ケルビン)，物質量：mol(モル)，光度：cd(カンデラ)と，基本単位を組み合わせた組立単位からなっており，これらによって全ての物理量の単位を表わすことができる一貫性の高い単位系である。ただし，1991年に日本工業規格が国際単位系を基準とするまでは，理科系の各分野ではMKS単位系，さらにそれ以前にはCGS単位系，また分野によっては工学単位系(重力単位系)などの異なる単位系が慣用的に用いられてきた。

　そこで本資料では，国際単位系で定める代表的な単位について，単位の名称，記号，およびそれらの基本単位による表現を表にまとめるとともに，極めて大きい量や小さい量を表すための接頭語を表にした示した。さらに，少し古い専門書や文献などで出会う可能性が高い代表的な慣用単位系とSI単位系の変換方法を示した。

資　料

代表的なSI単位の名称と基本単位による組み立て

組 立 量	単位の名称	単位記号	他のSI単位による表示	SI基本単位
平 面 角	ラジアン	rad		m/m
立 体 角	ステラジアン	sr		m^2/m^2
面 　 積	平方メートル	m^2		
体 　 積	立方メートル	m^3		
密 　 度		kg/m^3		
速さ,速度		m/s		
加 速 度		m/s^2		
周 波 数	ヘルツ	Hz		s^{-1}
角 速 度		rad/s		
力	ニュートン	N	J/m	$m\ kg\ s^{-2}$
応力,圧力	パスカル	Pa	N/m^2	$m^{-1}\ kg\ s^{-2}$
モーメント		N m		$m^2\ kg\ s^{-2}$
表面張力		N/m	J/m^2	$kg\ s^{-2}$
粘 　 度		Pa s	$N\ s/m^2$	$m^{-1}\ kg\ s^{-1}$
エネルギー,仕事,熱量	ジュール	J	N m, W s	$m^2\ kg\ s^{-2}$
仕事率,放射束	ワット	W	J/s	$m^2\ kg\ s^{-3}$
熱 容 量		J/K		$m^2\ kg\ s^{-2}\ K^{-1}$
比 　 熱		$J\ kg^{-1}\ K^{-1}$		$m^2\ s^{-2}\ K^{-1}$
熱伝導率		$W\ m^{-1}\ K^{-1}$	N/(s K)	$m\ kg\ s^{-3}\ K^{-1}$
電荷,電気量	クーロン	C	A s	s A
電圧,電位差	ボルト	V	J/C	$m^2\ kg\ s^{-3}\ A^{-1}$
静電容量	ファラド	F	C/V	$m^{-2}\ kg^{-1}\ s^4\ A^2$
電気抵抗	オーム	Ω	V/A	$m^2\ kg\ s^{-3}\ A^{-2}$
コンダクタンス	ジーメンス	S	A/V	$m^{-2}\ kg^{-1}\ s^3\ A^2$
誘 電 率		F/m		$m^{-3}\ kg^{-1}\ s^4\ A^2$
磁 　 束	ウェーバー	Wb	V s	$m^2\ kg\ s^{-2}\ A^{-1}$
インダクタンス	ヘンリー	H	Wb/A	$m^2\ kg\ s^{-2}\ A^{-2}$
光 　 束	ルーメン	lm		cd sr
照 　 度	ルクス	lx	lm/m^2	$m^{-2}\ cd\ sr$
放射性核種の放射能	ベクレル	Bq		s^{-1}

主要な単位の大きさの変換(接頭語)

名 　 称	記 号	大きさ	名 　 称	記 号	大きさ
ヘ ク ト (hect)	h	10^2	デ シ (deci)	d	10^{-1}
キ ロ (kilo)	k	10^3	セ ン チ (centi)	c	10^{-2}
メ ガ (mega)	M	10^6	ミ リ (milli)	m	10^{-3}
ギ ガ (giga)	G	10^9	マイクロ (micro)	μ	10^{-6}
テ ラ (tera)	T	10^{12}	ナ ノ (nano)	n	10^{-9}

他の単位系からSI単位系への換算方法

力　　　　：$1\,\mathrm{dyn}(\text{ダイン}) = 1\,\mathrm{g\,cm/s^2} = 10^{-5}\,\mathrm{N}$

$1\,\mathrm{kgf}(\text{重量キログラム}) = 9.80665\,\mathrm{kg\,m\,s^{-2}} = 9.80665\,\mathrm{N}$

応力，圧力：$1\,\mathrm{kgf/cm^2} = 980665\,\mathrm{dyne/cm^2} = 98066.5\,\mathrm{N/m^2} = 98066.5\,\mathrm{Pa}$

$= 98\,\mathrm{kPa} = 0.098\,\mathrm{MPa}$

$1\,\mathrm{mmHg} = 133.3\,\mathrm{Pa}$

$1\,\mathrm{bar} = 100\,\mathrm{kPa}$

長　　さ：$1\,\text{Å}(\text{オングストローム}) = 0.1\,\mathrm{nm} = 10^{-10}\,\mathrm{m}$

仕　　事：$1\,\mathrm{kgf\,m} = 9.80665\,\mathrm{J}$

$1\,\mathrm{erg}(\text{エルグ}) = 1\,\mathrm{dyn\,cm} = 10^{-7}\,\mathrm{J}$

$1\,\mathrm{eV}(\text{電子ボルト}) = 1.602 \times 10^{-19}\,\mathrm{J}$

熱　　量：$1\,\mathrm{cal}(15\,\text{度カロリー}) = 4.1855\,\mathrm{J}$

温　　度：$T/\mathrm{K} = t/\mathrm{℃} + 273.15$

2.　木材の試験方法

2.1　木材の試験法（JIS Z 2101：2009）の制定

　木材を様々な用途に使用するとき，しばしば，強度，その他の物性などを試験する必要が生じる。このような際，試験が多様で無秩序な方法で実施されたならば，異なる試験実施者によって得られた試験結果は，相互に比較することもできず，結果自体の評価も困難となる。こうした問題を避けるためには，出来るだけ単純で，実施が容易な統一した試験法によって試験を実施することが望ましい。そこで，試験方法を単純化，秩序化して，統一することによって標準化(standardization)した規格(standards)が様々な国や国際機関によって定められている。日本では国が定める工業基準として，日本工業規格(JIS)が制定されている。

木材の試験方法に関する現行のJIS（JIS Z 2101: 2009）は，工業標準化法第14条によって準用する第12条第1項の規定に基づいて，日本木材学会（JWRS）から，工業標準原案を添えて日本工業規格を改正すべきであるとの申出に対応して，日本工業標準調査会の審議を経て，経済産業大臣が改正した日本工業規格である。その結果，これまでのJIS（JIS Z 2101: 1994）は改正され，この規格に置き換えられた。

この改正に当たっては，これまでの試験データ蓄積を無にすることのないようJISの根幹を残しつつ，可能な限りに，ISO規格（国際標準規格）に沿うことを基本としている。

なお，ISO規格には規定されていなくとも，我が国における木材の利用法に合致した試験法はこれを残しつつ，ほとんど活用されていない"着炎性試験"を削除するとともに，"耐朽性試験"については基本的な見直しを行っている。また，吸水性及び吸湿性は，日本の住宅における木材の使い方と関連する項目で，ISO規格にはないが残している。さらに，圧縮試験及び引張試験は，ISO規格では，荷重を"縦方向"と"横方向"とに区分する考え方であるため，この規格でも採用している。なお，部分圧縮試験は，ISO規格にはないが，主に針葉樹材の仕口に対するもので，必要と考えられる項目であるので残している。

硬さ試験については，ISO規格との整合を図り，旧規格にある表面硬さの測定に加えて，めり込み抵抗の測定及び衝撃めり込み抵抗の測定を加えている。

なお，割裂抵抗の測定，クリープ試験，くぎ引抜き抵抗の測定，摩耗試験及び耐朽性試験はISO規格にはないが，我が国の木造住宅などで必要な性能であると考え，項目として残している。

2.2　JIS Z 2101: 2009 の規定項目

今回のJIS木材の試験方法の改正により，規格全体の分量が約1.8倍に増えたため，本書にその全文を掲載することは無理であると判断し，読者は必要に応じて規格を検索，あるいは入手出来るよう，検索・入手方法を解説することにした。しかしながら，規格にはどのような内容が規定されているのか，その記載内容が判らなければ，対象とする規格が入手済みでない限り，一々規格を

2. 木材の試験方法　　191

検索・入手する必要がある。そこで，ここではJIS Z 2101：2009に記載の項目を示し，必要な解説を加えることにする。

1　適用範囲

この規格の適応範囲が，標準試験体による木材の試験方法であることを規定している。

2　引用規格

この規格に引用されることによって，この規格の規定の一部を構成する引用規格として，以下の規格が挙げられている。

JIS A 1453 建築材料及び建築構成部分の摩耗試験方法(研摩紙法)

JIS A 5508 くぎ

JIS G 3522 ピアノ線

JIS G 4053 機械構造用合金鋼鋼材

JIS K 1503 アセトン

JIS K 2201 工業ガソリン

JIS K 6253 加硫ゴム及び熱可塑性ゴム－硬さの求め方

JIS Z 8703 試験場所の標準状態

3　共通事項

ここでは，個々の試験法に共通する規定項目について規定している。

3.1　一般：以下の各条において，試験材サンプリング，調湿，試験体の作製，試験環境の設定，結果の計算及び表示，試験報告の方法などに関する規定

3.2　サンプリング：試験材の選択及び加工に関する規定

3.3　試験材の調湿：標準状態及び繊維飽和点以上の含水率状態の試験材の調湿に関する規定

3.4　試験体の作製：試験体の形状，寸法，寸法精度，採取位置などに関する規定

3.5　試験体の数：試験体の数に関する規定

3.6 試験体の調湿：標準状態，繊維飽和点以上の含水率状態及び気乾状態
の試験体の調湿に関する規定

3.7 物理的，強度的試験のための一般通則：試験室の温度及び湿度および
試験の手順に関する規定

3.8 結果の計算及び表示：結果の計算法や表示方法及び結果の統計処理法
に関する規定

3.9 試験報告：試験結果の報告内容に関する規定

　以下は，23の試験項目（項目番号4～26）で構成されている。そのうち，"25
摩耗試験"以外の項目では，"・.1 一般，・.2 測定概要，・.3 装置，・.4 試験体の作
製，・.5 測定手順，・.6 結果の計算及び表示，・.7 試験報告"の各副項目に，個々の
試験に対応した内容が規定されている。一方，"25 摩耗試験"の項目では，試
験方法が"研摩紙法"と"鋼ブラシ摩擦法"に分かれており，それぞれの試験方
法について，"・.・.2 測定概要～・.・.7 試験報告"までの各副項目に，試験方法
に対応した内容が規定されている。

　以下では，項目番号4について各副項目の一例を示し，他の項目番号につい
ては試験項目名のみを示す。

　なお，JISの末尾には，JISと国際規格の対比表が資料として記載されている
が，本書では紙面の都合上割愛した。

4　含水率の測定

4.1 一般：以下の各条における，木材の含水率の測定方法に関する規定

4.2 測定概要：測定対象および測定の概要に関する記述。

4.3 装置：測定に用いる装置や器具の性能，測定精度に関する規定

4.4 試験体の作製：試験体の寸法，形状及び試験体作製法に関する規定

4.5 測定手順：測定の手順に関する規定

4.6 結果の計算及び表示：結果の計算法や表示方法に関する規定

4.7 試験報告：試験報告は上記3.9に準拠する旨に関する規定

5　密度の測定

6 収縮率の測定

7 膨潤率の測定

8 吸水性試験

9 吸湿性試験

10 縦圧縮試験

11 横圧縮試験

12 部分圧縮試験

13 縦引張試験

14 横引張試験

15 曲げ試験

16 曲げヤング係数の測定

17 せん断強さの測定

18 割裂抵抗の測定

19 衝撃曲げ強さの測定

20 めり込み硬さ(ヤンカ硬さ)の測定

21 表面硬さ(ブリネル硬さ)の測定

22 衝撃めり込み抵抗の測定

23 クリープ試験

24 くぎ引抜き抵抗の測定

25 摩耗試験

26 耐朽性試験

2.3 JIS Z 2101：2009 の検索・閲覧および入手方法

2.3.1 インターネットによる JIS 規格の検索・閲覧方法

JIS規格の検索・閲覧は(一財)日本規格協会(JISC)ホームページの〈http://www.jisc.go.jp/〉「JIS検索画面」から以下のように検索することができ，これを表示して閲覧できる。

(1) 日本工業標準調査会のトップページの「データベース検索」の中の「JIS

検索」をクリックし，「JIS検索」の画面へ移動する。

(2) JIS規格番号から前方一致検索ができる。「JIS検索」画面で，"JIS規格番号：JIS"の右横空欄に規格番号を半角英数字で入力し，"一覧表示"をクリックする。この際，記号と規格番号の間には空白を入れない。規格番号は前半途中まででもかまわない。

(3) 一覧表示ボタンを押した後に表示される「JISリスト」画面で一つまたは複数の規格が示されるので，閲覧したいJIS番号の部分を選択する。

(4) 規格の内容は，PDFファイルとして掲載される。JIS番号を選択した後，「JIS規格詳細画面」で表示されるPDFファイルを閲覧する。なお，複数のファイルに分かれている場合もある。

ただし，使用するパーソナルコンピューターの使用条件によっては上手く閲覧ができないことがあるとされている。

著作権保護のために，表示された規格のダウンロードや印刷は出来ないよう設定されている。

なお，小冊子形式の規格表やJISハンドブックなどの印刷物は，国会図書館および経済産業省 関係各局においても閲覧できる。このうち，国会図書館では全文を複写でき，郵送を依頼することもできる。

2.3.2　JIS規格の入手方法

JIS規格は，A4サイズの「規格票」として，（一財）日本規格協会から出版されており，同協会から入手できる。

東京都港区三田3-13-12 三田MTビル（一財）日本規格協会出版事業グループ

電話：03-4231-8550，FAX：03-4231-8665

E-mail：csd@jsa.or.jp

また，国会図書館への依頼により，郵送(有料)で規格表の複写を入手することも可能である。

索引・用語解説

⇒：～も参照，　→：～を参照

A

abrasion 151 ⇒ 摩耗
AE(acoustic emission) 128 ⇒ アコースティックエミッション
air-dry condition 42 ⇒ 気乾状態
air-dry density 36 ⇒ 気乾密度
allowable stress 172 ⇒ 許容応力度
amorphous 44 ⇒ 非晶領域
anisotropic material 101 ⇒ 異方性材料
anisotropy 52 ⇒ 異方性
annual ring 13 ⇒ 年輪
apical meristem 10 ⇒ 頂端分裂組織
apotracheal parenchyma 21 ⇒ 独立柔組織
axial direction 12 ⇒ 繊維方向
axial parenchyma cell 17, 18 ⇒ 軸方向柔細胞

B

bark side 12 ⇒ 木表
basic density 38 ⇒ 容積密度
beam depth 167 ⇒ 梁せい
bending 140 ⇒ 曲げ
bending strength 140 ⇒ 曲げ強度
bordered pit 17 ⇒ 有縁壁孔
bordered pit pair 17 ⇒ 有縁壁孔対
bound water 44 ⇒ 結合水
Brinell hardness 146 ⇒ ブリネル硬さ
brittle coating method 128 ⇒ 応力塗膜法
brittle fracture 125 ⇒ 脆性破壊
brittle heart 28 ⇒ 脆心材
broadleaf tree 9 ⇒ 広葉樹
bulk density 38 ⇒ 容積密度数

C

calorific value 67 ⇒ 発熱量
cambium 11, 22 ⇒ 形成層
cellulose 23, 30, 31 ⇒ セルロース
cellulose microfibril 23 ⇒ セルロースミクロフィブリル
characteristic impedance 77 ⇒ 特性インピーダンス
cleavability 136 ⇒ 割裂性
coarse texture 16 ⇒ 粗肌目
coefficient of linear expansion 59 ⇒ 線膨張率
coefficient of volume expansion 59 ⇒ 体積膨張率
coincidence effect 82 ⇒ コインシデンス効果
color difference 88 ⇒ 色差
color space 88 ⇒ 色空間
complex dielectric constant 72 ⇒ 複素誘電率
compliance 108 ⇒ コンプライアンス
compound middle lamella 23 ⇒ 複合細胞間層
compression failure 28 ⇒ もめ
compression shrinkage 54 ⇒ 加圧収縮
compression wood 27 ⇒ 圧縮あて材
compressive strength parallel to grain 131 ⇒ 縦圧縮強度
compressive stress 97 ⇒ 圧縮応力
conductance 69, 72 ⇒ コンダクタンス
coniferous wood 9 ⇒ 針葉樹材
corewood 26 ⇒ コアウッド
cortex 10 ⇒ 皮層
creep 106, 108 ⇒ クリープ

creep compliance 109 ⇒ クリープコンプラ
イアンス
creep failure 106 ⇒ クリープ破壊
critical frequency 83 ⇒ 限界周波数
cross field 18 ⇒ 分野
cross grain 15 ⇒ 交走木理
cross section 12 ⇒ transverse section, 横断
面, RT面, 小口面
cross-field pitting 19 ⇒ 分野壁孔
crown 9 ⇒ 樹冠

D

dead knot 28 ⇒ 死節
decayed knot 28 ⇒ 腐節
decrement of vibration 77 ⇒ 振動減衰率
deffusion 46 ⇒ 拡散
deformation 95 ⇒ 変形
delayed deformation 109 ⇒ 遅延変形
density 35 ⇒ 密度
density of air-dried wood 36 ⇒ 気乾密度
density of green wood 37 ⇒ 生材密度
density of oven-dried wood 37 ⇒ 全乾密度
design allowable stress 173 ⇒ 設計用許容
応力度
diagonal grain 15 ⇒ 斜走木理
dielectric constant 72 ⇒ 比誘電率
dielectric loss 73 ⇒ 誘電損失
dielectric polarization 71 ⇒ 誘電分極
dielectric relaxation 73 ⇒ 誘電緩和
dielectric substance 71 ⇒ 誘電体
diffuse porous wood 14, 20 ⇒ 散孔材
diffuse reflection 90 ⇒ 拡散反射
digital image correction method 128 ⇒ デ
ジタル画像相関法
discontinuous annual ring 13 ⇒ 不連続年輪
DOL(duration of load) 165 ⇒ 長期荷重持
続時間
double ring 13 ⇒ 重年輪
drying set 53 ⇒ ドライングセット
DSP(digital speckle photography) 128 ⇒
デジタルスペックル写真法
DTG(differential thermogravimetry) curve
66 ⇒ 熱重量減少速度曲線
ductile fracture 125 ⇒ 延性破壊
dynamic viscoelasticity 117 ⇒ 動的粘弾性

E

earlywood 13 ⇒ 早材
edge grain 12 ⇒ まさ目
elastic compliance 102 ⇒ 弾性コンプライア
ンス
elastic constant 104 ⇒ 弾性定数
elastic limit 97 ⇒ 弾性限度
elastic modulus 77 ⇒ 弾性率
elasticity 97 ⇒ 弾性
electric dipole 71 ⇒ 双極子
electrical conductivity 69 ⇒ 導電率
electronic polarization 71 ⇒ 電子分極
encrusting substance 22 ⇒ 皮殻物質
end grain 12 ⇒ 木口
energy release rate 128 ⇒ エネルギー開放
率
ephedroid perforation 19 ⇒ マオウ型せん孔
epidermis 10 ⇒ 表皮
epithelial cell 18 ⇒ エピセリウム細胞
equilibrium moisture content 43 ⇒ 平衡含
水率
even texture 16 ⇒ 均斉肌目
extractive 30, 33 ⇒ 抽出成分

F

factor toughness 128 ⇒ 破壊靭性
failure 125 ⇒ 破損
false annual ring 13 ⇒ 偽年輪
false heartwood 15 ⇒ 偽心材
fascicular cambium 10 ⇒ 束内形成層
fatigue 153 ⇒ 疲労
fiber tracheid 21 ⇒ 繊維状仮道管
fine texture 16 ⇒ 精肌目
flame like porous wood 20 ⇒ 紋様孔材
flaming 65 ⇒ 発炎
flat grain 12 ⇒ 板目
flat-sawn grain 12 ⇒ 板目
forced vibration 118 ⇒ 強制振動
fracture 98, 125 ⇒ 破壊
free vibration 118 ⇒ 自由振動
free water 44 ⇒ 自由水
frost cracks 28 ⇒ 霜割れ, 凍裂
FSP(fiber saturation point) 43 ⇒ 繊維飽和
点

fusiform parenchyma cell 21 ⇒ 紡錘形柔
　細胞

G

generalized Voigt model 110 ⇒ 一般化
　フォークトモデル
G-layer 27 ⇒ G層
glucomannan 30 ⇒ グルコマンナン
grain 15 ⇒ 木理
green condition 43 ⇒ 生材状態
ground meristem 10 ⇒ 基本分裂組織
growth ring 13 ⇒ 成長輪
growth stress 25 ⇒ 成長応力
gum 20 ⇒ ゴム質
G層（ゼラチン層）27 ⇒ G-layer／広葉樹の
　引張あて材で認められる壁層構成の1つ。
　G層はセルロースとヘミセルロースが主
　な成分であり，木化度が非常に低い。

H

hardness 145 ⇒ 硬さ
hardwood 9 ⇒ 広葉樹材
heartwood 14 ⇒ 心材
heat capacity 61 ⇒ 熱容量
heat conduction 61 ⇒ 熱伝導
heat flux 61 ⇒ 熱流束
hemicellulose 23, 30, 32 ⇒ ヘミセルロース
hygroscopic isotherm 45 ⇒ 吸湿等温線
hysteresis 46 ⇒ ヒステリシス

I

idioblast 18 ⇒ 異形細胞
inner bark 10 ⇒ 内樹皮
instantaneous creep compliance 111 ⇒ 瞬
　間クリープコンプライアンス
instantaneous Young's modulus 111 ⇒ 瞬
　間弾性率
intercellular canal 19 ⇒ 細胞間道
intercellular layer 23 ⇒ 細胞間層（I層）
interfacial polarization 71 ⇒ 界面分極
interfascicular cambium 10 ⇒ 束間形成層
interlocked grain 15 ⇒ 交錯木理
intermediate wood 14 ⇒ 移行材
internal force 95 ⇒ 内力
intervessel pitting 20 ⇒ 道管相互壁孔

ionic polarization 71 ⇒ イオン分極
irregular grain 16 ⇒ 不規則木理
isotropic material 101 ⇒ 等方性材料

J

Janka hardness 146 ⇒ ヤンカ硬さ
juvenile wood 17, 25 ⇒ 未成熟材

K

knot 27 ⇒ 節

L

$L^*a^*b^*$ 表色系 88／国際照明委員会
　（Commission Internationale de
　l'éclairage: CIE）が定めた3次元直交座
　標を用いる表色系で，2種類の色の差異
　が色空間内の距離で表される（色差とい
　う）。明度を L^* 値で，色相と彩度を a^* 値
　（正が赤方向，負が緑方向）および b^* 値
　（正が黄方向，負が青方向）で表す。
latewood 13 ⇒ 晩材
latewood percentage 40 ⇒ 晩材率
libriform wood fiber 21 ⇒ 真正木繊維
lignification 32 ⇒ 木化
lignin 23, 30, 32 ⇒ リグニン
live knot 28 ⇒ 生節
living wood fiber 14, 21／生細胞として機
　能する木部繊維のこと。カエデ属，ハリ
　エンジュ，ネムノキ等に見られる。ふつ
　うの木部繊維は完成とともに原形質を失
　い，死細胞となって樹木の役に立ってい
　る。
load 95 ⇒ 外力（荷重）
logarithmic decrement 78 ⇒ 対数減衰率
longitudinal direction 12 ⇒ 繊維方向
longitudinal strain 99 ⇒ 縦ひずみ
loose knot 28 ⇒ 抜節
loss tangent 78 ⇒ 損失正接
LR面 12 ⇒ 放射断面
LT面 12 ⇒ 接線断面
L方向 12, 52 ⇒ 繊維方向

M

margo 48 ⇒ マルゴ
mass law 82 ⇒ 質量則

matrix substance　22 ⇒ マトリックス物質

mature wood　17, 25 ⇒ 成熟材

maximum moisture content　43 ⇒ 最大含水率

maximum shrinkage　50 ⇒ 全収縮率

maximum swelling　50 ⇒ 全膨潤率

Maxwell model　109 ⇒ 一般化マクスウェルモデル

mechanical stress grading　170 ⇒ 機械等級区分法

mechano-sorptive creep　114 ⇒ メカノソープティブクリープ

mechano-sorptive relaxation　114 ⇒ メカノソープティブ緩和

metric chroma　88 ⇒ メトリック彩度

metric hue angle　88 ⇒ メトリック色相角

metric lightness　88 ⇒ メトリック明度

Meyer hardness　147 ⇒ マイヤー硬さ

micelle　44 ⇒ 結晶領域

microfibril angle　26 ⇒ ミクロフィブリル傾角

modulus of longitudinal elasticity　97 ⇒ 縦弾性係数

modulus of shearing elasticity　101 ⇒ せん断弾性係数

MOE(modulus of elasticity)　143 ⇒ 曲げ弾性率

moisture content　42 ⇒ 含水率

moisture content in air dry　43 ⇒ 気乾含水率

moisture content in green　43 ⇒ 生材含水率

monomoleculary adsorbed water　44 ⇒ 単分子層吸着水

MOR(modulus of rupture)　141, 143 ⇒ 曲げ破壊係数

multiple perforation　19 ⇒ 多孔せん孔

multiple ring　13 ⇒ 重年輪

multiseriate ray　18 ⇒ 多列放射組織

N

neutral axis　140 ⇒ 中立軸

normal moisture content　44 ⇒ 標準含水率

normal strain　96 ⇒ 垂直ひずみ

normal stress　96 ⇒ 垂直応力

O

orientational polarization　71 ⇒ 配向分極

orthotropic material　101 ⇒ 直交異方性材料

outer bark　9 ⇒ 外樹皮

outerwood　26 ⇒ アウターウッド

oven-dry condition　42 ⇒ 全乾状態

oven-dry density　36 ⇒ 全乾密度

P

paratracheal parenchyma　21 ⇒ 随伴柔組織

parenchyma strand　21 ⇒ 柔細胞ストランド

partial compressive strength　131 ⇒ 部分圧縮強度

penetration　47 ⇒ 浸透

perforation　19 ⇒ せん孔

perforation plate　19 ⇒ せん孔板

permanent copillary　44 ⇒ 永久空隙

permanent strain　98 ⇒ 永久ひずみ

permanent void　44 ⇒ 永久空隙

permeation　47 ⇒ 透過

photoelastic coating method　128 ⇒ 光弾性被膜法

physical aging　115, 123 ⇒ フィジカルエージング

piezoelectric property　74 ⇒ 圧電性

pit aperture　18 ⇒ 孔口

pit aspiration　18 ⇒ 有縁壁孔の閉塞(閉鎖)

pit border　18 ⇒ 壁孔縁

pit incrustation　18 ⇒ 沈着(壁孔膜に)

pit membrane　18 ⇒ 壁孔膜

pith　10 ⇒ 髄

pith side　12 ⇒ 木裏

plastic strain　98 ⇒ 塑性ひずみ

plasticity　98 ⇒ 塑性

pocket bark　28 ⇒ 入り皮

Poisson's effect　98 ⇒ ポアソン効果

Poisson's number　100 ⇒ ポアソン数

Poisson's ratio　99 ⇒ ポアソン比

polymoleculary adsorbed water　44 ⇒ 多分子層吸着水

pore volume　39 ⇒ 空隙率

pore zone　14 ⇒ 孔圏
primary growth　10 ⇒ 一次成長
primary phloem　10 ⇒ 一次師部
primary ray　13 ⇒ 一次放射組織
primary wall　22 ⇒ 一次壁
primary xylem　10 ⇒ 一次木部
procambium　10 ⇒ 前形成層
procumbent ray cell　22 ⇒ 平伏細胞
proportional limit　97 ⇒ 比例限度
protoderm　10 ⇒ 原表皮

Q

quarter-sawn grain　12 ⇒ まさ目

R

radial direction　→ 放射方向，R方向，半径
方向
radial porous wood　20 ⇒ 放射孔材
radial section　12 ⇒ 放射断面
ray parenchyma cell　17 ⇒ 放射柔細胞
ray tracheid　17 ⇒ 放射仮道管
reaction wood　27 ⇒ あて材
relaxation modulus　110 ⇒ 緩和弾性率
relaxation spectrum　111 ⇒ 緩和スペクト
ル
relaxation time　107, 110 ⇒ 緩和時間
resin canal　19 ⇒ 樹脂道
resin cell　18 ⇒ 樹脂細胞
resistivity　69 ⇒ 抵抗率
resonant vibration　82 ⇒ 共鳴振動
retardation spectrum　111 ⇒ 遅延スペクト
ル
retardation time　109 ⇒ 遅延時間
reticulate perforation　19 ⇒ 網状せん孔
rheology　106, 117 ⇒ レオロジー
ring porous wood　14, 20 ⇒ 環孔材
ring shake　28 ⇒ 目回り
ripple marks　16 ⇒ リップルマーク
ROL（rate of load）165 ⇒ 荷重速度
rolling shear　104, 139 ⇒ ローリング・シ
アー
root　9 ⇒ 根
RT面　12 ⇒ 横断面
R方向　12, 52 ⇒ 放射方向

S

S_1（outer layer）22 ⇒ 二次壁外層
S_2（middle layer）22 ⇒ 二次壁中層
S_3（inner layer）22 ⇒ 二次壁内層
Sanio's law　17 ⇒ サニオの法則
sapwood　14 ⇒ 辺材
scalariform perforation　19 ⇒ 階段せん孔
secondary growth　11 ⇒ 二次成長
secondary phloem　11 ⇒ 二次師部
secondary ray　13 ⇒ 二次放射組織
secondary wall　22 ⇒ 二次壁
secondary xylem　11 ⇒ 二次木部
semi-ring porous wood　14, 20 ⇒ 半環孔材
senescent wood　26 ⇒ 過熟材
septate wood fiber　21 ⇒ 隔壁木繊維
shear　100 ⇒ せん断
shear modulus　101 ⇒ せん断弾性係数
shearing strain　100 ⇒ せん断ひずみ
shearing strength　137 ⇒ せん断強度
shearing stress　100 ⇒ せん断応力
shrinkage　49 ⇒ 収縮
simple perforation　19 ⇒ 単せん孔
size effect　125 ⇒ 寸法効果
softwood　9 ⇒ 針葉樹材
solid volume　39 ⇒ 実質率
sound absorbency　81 ⇒ 吸音性
sound field　80 ⇒ 音場
sound insulation　80 ⇒ 遮音性
sound speed　77 ⇒ 音速
sound transmission loss　81 ⇒ 音響透過損
失
sound wave　77 ⇒ 音波
span　167 ⇒ スパン
specific acoustic resistance　77 ⇒ 固有音響
抵抗
specific gravity　35 ⇒ 比重
specific heat　60 ⇒ 比熱
specific permittivity　72 ⇒ 比誘電率
specific resistance　69 ⇒ 比抵抗
spiral grain　15 ⇒ らせん木理（旋回木理）
square ray cell　22 ⇒ 方形細胞
standard allowable stress　173 ⇒ 基準許容
応力度
standard materials strength　173 ⇒ 基準強

度特性値

standard moisture content　44 ⇒ 標準含水率

standard strength　172 ⇒ 基準強度

steady state　46 ⇒ 定常状態

stem　9 ⇒ 樹幹

storied arrangement　16 ⇒ 層階状配列

straight grain　15 ⇒ 通直木理

strain　96 ⇒ ひずみ

strand　17 ⇒ ストランド

strand tracheid　17 ⇒ ストランド仮道管

strength　98 ⇒ 強さ(強度)

stress　96 ⇒ 応力

stress grading　169 ⇒ 強度等級区分

stress intensity factor　127 ⇒ 応力拡大係数

stress relaxation　106 ⇒ 応力緩和

stress-endurance diagram　154 ⇒ 応力-繰返し数線図

swelling　49 ⇒ 膨潤

swelling pressure　54 ⇒ 膨潤圧

swelling stress　54 ⇒ 膨潤応力

T

tangential direction　12 ⇒ 接線方向

tangential section　12 ⇒ 接線断面

tensile stress　97 ⇒ 引張応力

tension wood　27 ⇒ 引張あて材

texture　16 ⇒ 肌目

TG(thermogravimetric) curve　66 ⇒ 熱重量減少曲線

TGH(Timoshenko-Goens-Hearmon)法　171 ／梁の曲げ振動の各次の固有振動数を計測し，回帰計算により曲げヤング率とせん断弾性率を求める非破壊測定法。Timoshenkoの梁のたわみ理論に基づく Goens-Hearmon の回帰法に由来し，T.G.H.法またはTGH法と呼ばれる。

thermal analysis　66 ⇒ 熱分析

thermal conductivity　61 ⇒ 熱伝導率

thermal diffusivity　63 ⇒ 熱拡散率

thermal expansion　59 ⇒ 熱膨張

torsional strength　144 ⇒ ねじり強度

torus　48 ⇒ トールス

tracheid　13, 17 ⇒ 仮道管

transversal strain　99 ⇒ 横ひずみ

transverse section　12 ⇒ ，横断面，RT面，小口面

traumatic resin canal　19 ⇒ 傷害樹脂道

tylosis　20 ⇒ チロース

tylosoid　19 ⇒ チロソイド

T方向　12, 52 ⇒ 接線方向

U

ultimate strength　98 ⇒ 極限強さ

uniseriate ray　18 ⇒ 単列放射組織

unsteady state　46 ⇒ 非定常状態

upright ray cell　22 ⇒ 直立細胞

V

van der Waals force　44 ⇒ ファンデルワールス力

vascular bundle　10 ⇒ 維管束

vascular cambium　11 ⇒ 維管束形成層

vascular tracheid　20 ⇒ 道管状仮道管

vasicentric tracheid　21 ⇒ 道管状仮道管

vessel element　19 ⇒ 道管要素

viscoelastic material　106 ⇒ 粘弾性材料

viscoelasticity　108 ⇒ 粘弾性

viscosity　106 ⇒ 粘性

visual stress grading　169 ⇒ 目視等級区分法

void volume　39 ⇒ 空隙率

Voigt model　108 ⇒ 一般化フォークトモデル

W

water saturated condition　43 ⇒ 飽水状態

wavy grain　15 ⇒ 波状木理

wear　151 ⇒ 摩耗

Weibull distribution　125 ⇒ ワイブル分布

wetwood　29 ⇒ 水食材

Wöhler curve　154 ⇒ ベーラー曲線

wood fiber　19 ⇒ 木部繊維

woody plant　9 ⇒ 木本植物

X

xylan　30 ⇒ キシラン

XYZ表色系　87

X線CT　76 ⇒ X-ray Computed

Tomography／対象物に対してX線透過法による撮影を360°全方向から行い，得られたX線データからコンピュータを用いて物体内部の3次元立体像を非破壊的に構築する技術であり，医療現場では病理診断等によく使われている。

Y

Young's modulus 97 ⇒ ヤング率
Young's modulus in compression parallel to grain 131 ⇒ 縦圧縮弾性率
Young's modulus in compression perpendicular to grain 131 ⇒ 横圧縮弾性率

Z

あ 行

アイゾット法 148
アウターウッド 26 ⇒ outerwood
アコースティックエミッション 128 ⇒ acoustic emission
圧縮あて材 27 ⇒ compression wood
圧縮応力 97 ⇒ compressive stress
圧縮弾性率 132
圧電性 74 ⇒ piezoelectric property
圧電率 74
あて材 27 ⇒ reaction wood
網状せん孔 19 ⇒ reticulate perforation
粗肌目 16 ⇒ coarse texture

イオン分極 71 ⇒ ionic polarization
維管束 10, 177 ⇒ vascular bundle
維管束形成層 11 ⇒ vascular cambium
維管束鞘 177
異形細胞 18 ⇒ idioblast
移行材 14 ⇒ intermediate wood
板目 12 ⇒ flat grain, flat-sawn grain
板目面 12 ⇒ 接線断面
一次師部 10 ⇒ primary phloem
一次成長 10 ⇒ primary growth
一次壁 22 ⇒ primary wall
一次放射組織 13 ⇒ primary ray
一次木部 10 ⇒ primary xylem
一級水酸基 73

一般化フォークトモデル 110 ⇒ generalized Voigt model
一般化マクスウェルモデル 111 ⇒ generalized Maxwell model
異方性 52 ⇒ anisotropy
異方性材料 101 ⇒ anisotropic material
異方性材料の主軸 126
入り皮 28 ⇒ pocket bark
色空間 88 ⇒ color space

永久空隙 44 ⇒ permanent copillary, permanent void
永久ひずみ 98 ⇒ permanent strain
エネルギー開放率 128 ⇒ energy release rate
エピセリウム細胞 18 ⇒ epithelial cell
延性破壊 125 ⇒ ductile fracture

追まさ 12
横断面 12 ⇒ transverse section, cross section
応力 96 ⇒ stress
応力拡大係数 127 ⇒ stress intensity factor
応力緩和 106 ⇒ stress relaxation
応力-繰返し数線図 154 ⇒ stress-endurance diagram
応力塗膜法 128 ⇒ brittle coating method
応力-ひずみ曲線 130, 131
オームの法則 69
音響透過損失 81 ⇒ sound transmission loss
音響放射減衰率 77
音速 77 ⇒ sound speed
音場 80 ⇒ sound field
音波 77 ⇒ sound wave

か 行

加圧収縮 54 ⇒ compression shrinkage
外樹皮 9 ⇒ outer bark
階段せん孔 19 ⇒ scalariform perforation
回転半径 118
界面分極 71 ⇒ interfacial polarization
外力(荷重) 95 ⇒ load
拡散 46 ⇒ deffusion
拡散反射 90 ⇒ diffuse reflection

隔壁木繊維 21 ⇒ septate wood fiber
かさ密度 36
荷重継続期間影響係数 174
荷重速度 165 ⇒ ROL
硬さ 145 ⇒ hardness
割裂 136
割裂性 136 ⇒ cleavability
割裂抵抗 136 ⇒ cleavage resistance
仮道管 13, 17 ⇒ tracheid
過熟材 26 ⇒ senescent wood
稈 178
環孔材 14, 20, 40 ⇒ ring porous wood
稈鞘 178
含水率 42, 164 ⇒ moisture content
含水率影響係数 174
含水率計 75
完全拡散反射面 90
緩和時間 73, 107, 110 ⇒ relaxation time
緩和スペクトル 111 ⇒ relaxation spectrum
緩和弾性率 110 ⇒ relaxation modulus

木裏 12 ⇒ pith side
木表 12 ⇒ bark side
機械等級区分法 169, 170 ⇒ mechanical stress grading
機械等級区分装置 170
気乾含水率 43 ⇒ moisture content in air dry
気乾状態 42 ⇒ air-dry condition
気乾密度 36 ⇒ air-dry density, density of air-dried wood
基準強度 172 ⇒ standard strength
基準強度特性値 173 ⇒ standard materials strength
基準許容応力度 173 ⇒ standard allowable stress
基準材料強度 174
キシラン 30 ⇒ xylan
偽心材 15 ⇒ false heartwood
木取り 12／原木から必要な性質，寸法の木材をどのように採るか決めること。
偽年輪 13 ⇒ false annual ring
基本分裂組織 10 ⇒ ground meristem
肌目 16 ⇒ texture

吸音性 81 ⇒ sound absorbency
吸音率 83
吸湿等温線 45 ⇒ hygroscopic isotherm
吸着 45 ⇒ adsorption／気相または液相中の物質（吸着質）の濃度が，その相と接する他の相との界面において，界面から離れた位置（バルク相）での濃度と異なる現象と定義される。高くなる場合を正吸着，低くなる場合を負吸着という。たとえば，木材の吸湿は，空気中の水分の木材への正吸着現象である。
共役せん断応力 137
凝集力 113／分子，原子あるいはイオン間にはたらく引力。
共振周波数 120
共振振動数 118
強制振動 118 ⇒ forced vibration
強度低減係数 172
強度等級区分 169 ⇒ stress grading
共鳴振動 82 ⇒ resonant vibration
鏡面光沢度 90, 91
鏡面反射 90
鏡面反射光束 91
極限強さ 98 ⇒ ultimate strength
許容応力度 172 ⇒ allowable stress
均斉肌目 16 ⇒ even texture
近赤外光 76
き裂抵抗 128

空隙率 39 ⇒ void volume, pore volume
空孔理論 115
腐節 28 ⇒ decayed knot
クリープ 106, 108 ⇒ creep
クリープコンプライアンス 109 ⇒ creep compliance
クリープ破壊 106 ⇒ creep failure
グルコマンナン 30 ⇒ glucomannan
グレーディングマシン 170

形成層 11, 22 ⇒ cambium
形成層始原細胞 13／二次成長を行う最初の形成層始原細胞のこと。形成層始原細胞には，仮道管等の縦に長い細胞を形成する紡錘形始原細胞と放射柔細胞等の水平方向に長い細胞を形成する放射組織始原細

胞がある。

結合水 44 ⇒ bound water
結晶領域 44 ⇒ micelle
限界応力拡大係数 127
限界周波数 83 ⇒ critical frequency
原形質体 22
原表皮 10 ⇒ protoderm

コアウッド 26 ⇒ corewood
コインシデンス効果 82 ⇒ coincidence effect
高位発熱量 67
孔圏 14 ⇒ pore zone
孔口 18 ⇒ pit aperture
交錯木理 15, 93 ⇒ interlocked grain
交走木理 15 ⇒ cross grain
光沢 90
光沢度 90
光弾性被膜法 128 ⇒ photoelastic coating method
交番電場 72
広葉樹 9, 40 ⇒ broadleaf tree
広葉樹材 9 ⇒ hardwood
交流電場 72
国際単位系 187
木口 12 ⇒ end grain
木口面 12 ⇒ 横断面
骨格物質 22 ⇒ frame work substance
ゴム質 20 ⇒ gum
ゴム道 22
固有音響抵抗 77 ⇒ specific acoustic resistance
コンダクタンス 69, 72 ⇒ conductance
コンプライアンス 108 ⇒ compliance

さ　行

最大含水率 43 ⇒ maximum moisture content
最大主応力説 126
細長比 156
細胞間層(I層) 23 ⇒ intercellular layer
細胞間道 19 ⇒ intercellular canal
座屈 155
座屈強度 156
座屈低減係数 174

サニオの法則 17 ⇒ Sanio's law
散孔材 14, 20, 40 ⇒ diffuse porous wood
三刺激値 XYZ 87 ⇒ tristimulus values XYZ／国際照明委員会(Commission Internationale de l'éclairage: CIE)が推奨する XYZ 表色系において，試料の色刺激と等しく見える(等色する)ために必要な原刺激(赤，緑，青の3種類の光源)の強さを表す。

色差 88 ⇒ color difference
軸方向柔細胞 17, 18 ⇒ axial parenchyma cell
自己会合性 55 ⇒ self-associating property／1分子内にプロトン受容性とプロトン供与性を持つ元素などを有している場合，同一の分子種同士で水素結合による会合が起こりうる。こうした性質を自己会合性という。自己会合性を持つ例としては，水やアルコールのように水酸基を含む化合物や，アミン，アミド類などがある。
システム係数 174
実質率 39 ⇒ solid volume
実大材 172
質量則 82 ⇒ mass law
死節 28 ⇒ dead knot
師部 13
霜割れ 28 ⇒ 凍裂, frost cracks
遮音 81
遮音性 80 ⇒ sound insulation
斜走木理 15 ⇒ diagonal grain
シャルピー法 148
周囲仮道管 20 ⇒ vascular tracheid
柔細胞 179
柔細胞ストランド 21 ⇒ parenchyma strand
収縮 49 ⇒ shrinkage
自由振動 118 ⇒ free vibration
自由水 44, 45 ⇒ free water
柔組織 178
充填効果 52 ⇒ bulking effect／物質が細胞壁中の微小な空隙内に入り込んで膨潤状態が維持されることによって，吸湿・乾燥による水分の吸・脱着量が低下し，膨

潤・収縮量が減少する現象，あるいはそうした効果をいう。

重年輪 13 ⇒ double ring, multiple ring

ジュール熱 73

樹冠 9 ⇒ crown

樹幹 9 ⇒ stem

樹脂細胞 18 ⇒ resin cell

樹脂道 19 ⇒ resin canal

樹種識別 19／木材の解剖学的特徴から属レベル，場合によっては樹種が同定すること

瞬間クリープコンプライアンス 111 ⇒ instantaneous creep compliance

瞬間弾性率 111 ⇒ instantaneous Young's modulus

純粘性体 120

傷害樹脂道 19 ⇒ traumatic resin canal

小荷重載荷法 170

使用環境区分 174

衝撃強さ 147

シリカ 22／二酸化ケイ素(SiO_2)のこと。

心材 14 ⇒ heartwood

真正木繊維 21 ⇒ libriform wood fiber

浸透 47 ⇒ penetration

振動減衰率 77 ⇒ decrement of vibration

靭皮繊維細胞 177

真密度 36, 43

針葉樹 40

針葉樹材 9 ⇒ softwood, coniferous wood

心理メトリック量 88／メトリック量とは，所定の測定規準および計算手順にしたがって求められる計量値のことで，国際照明委員会(Commission Internationale de l'éclairage; CIE)はメトリック明度(L^*)，メトリック彩度(C^*)，メトリック色相角(H°)など，人の主観的な色の見え方を考慮した心理メトリック量を定義している。

髄 10 ⇒ pith

水素結合 44

水素結合能 55 ⇒ hydrogen・bonding capacity／同種あるいは異種の分子種と水素結合を形成する能力。具体的には，隣り合う電気陰性度の高い原子の方に電子が移動したために，電子を失った水素原子(プロトン)と水素結合を形成する能力を表すプロトン受容力と，自らのプロトンを介して水素結合を形成するプロトン供与力によって評価されることが多い。

垂直応力 96 ⇒ normal stress

垂直ひずみ 96 ⇒ normal strain

随伴柔組織 21 ⇒ paratracheal parenchyma

水分拡散 46

ストランド 17 ⇒ strand

ストランド仮道管 17 ⇒ strand tracheid

スパン 167 ⇒ span

寸法効果 125, 168 ⇒ size effect

寸法効果係数 174

精肌目 16 ⇒ fine texture

成熟材 17, 25 ⇒ mature wood

脆心材 28 ⇒ brittle heart

脆性塗膜法 128

脆性破壊 125 ⇒ brittle fracture

成長応力 25 ⇒ growth stress

成長輪 13 ⇒ growth ring

静電容量式含水率計 75

正反射 90

設計用許容応力度 173, 174 ⇒ design allowable stress

接線断面 12 ⇒ tangential section

接線方向 12, 52 ⇒ radial direction, tangential direction, T方向

セルロース 22, 30, 31 ⇒ cellulose

セルロース I_α, I_β 31／セルロースI_αは一本鎖の三斜晶であり，セルロース分子鎖が一方向にセロビオース単位の1/4ずつずれて配列した構造をとる。セルロースI_βは二本鎖の単斜晶であり，分子鎖が交互に1/4ずれて配列した構造をとる。セルロースI_αは緑藻類やバクテリア，セルロースI_βは木材などの高等植物やホヤに多く含まれる。

セルロースミクロフィブリル 23 ⇒ cellulose microfibril

繊維状仮道管 21 ⇒ fiber tracheid

繊維方向 12, 52 ⇒ longitudinal direction,

索　　引　　205

axial direction

繊維飽和点　43, 181 ⇒ FSP

旋回木理　→　らせん木理

全乾状態　42 ⇒ oven-dry condition

全乾密度　36, 43 ⇒ oven-dry density, density of oven-dried wood

前形成層　10 ⇒ procambium

線形破壊力学　127

全収縮率　50 ⇒ maximum shrinkage

線膨張率　59 ⇒ coefficient of linear expansion

全膨潤率　50 ⇒ maximum swelling

せん孔　19 ⇒ perforation

せん孔板　19 ⇒ perforation plate

せん断　100 ⇒ shear

せん断ひずみ　100 ⇒ shearing strain

せん断応力　100 ⇒ shearing stress

せん断強度　137 ⇒ shearing strength

せん断弾性係数　77, 101 ⇒ modulus of shearing elasticity, shear modulus

せん断破壊　137

層階状配列　16 ⇒ storied arrangement

双極子　71 ⇒ electric dipole

相互作用説　126

早材　13 ⇒ earlywood

早材部　40

束間形成層　10 ⇒ interfascicular cambium

測色学　87

束内形成層　10 ⇒ fascicular cambium

塑性　98 ⇒ plasticity

塑性域　130

塑性ひずみ　98 ⇒ plastic strain

塑性変形　125

損失正接　78, 121 ⇒ loss tangent

損失弾性率　121

た　行

対数減衰率　78, 120 ⇒ logarithmic decrement

体積抵抗率　69

体積膨張率　59 ⇒ coefficient of volume expansion

多孔せん孔　19 ⇒ multiple perforation

縦圧縮強度　131, 166 ⇒ compressive strength parallel to grain

縦圧縮弾性率　131 ⇒ Young's modulus in compression parallel to grain

縦振動法　170

縦せん断強度　138, 166

縦弾性係数　97 ⇒ modulus of longitudinal elasticity

縦ひずみ　99 ⇒ longitudinal strain

縦引張強度　134, 166

多分子層吸着水　44 ⇒ polymoleculary adsorbed water

多列放射組織　18 ⇒ multiseriate ray

単純はり　142

弾性　97 ⇒ elasticity

弾性域　130

弾性限度　97 ⇒ elastic limit

弾性コンプライアンス　102 ⇒ elastic compliance

弾性定数　104 ⇒ elastic constant

弾性変形　117

弾性率　77 ⇒ elastic modulus

単せん孔　19 ⇒ simple perforation

短柱　156

単分子層吸着水　44 ⇒ monomoleculary adsorbed water

ダンベル型　134

断面係数　141

断面2次半径　156

断面2次モーメント　118, 141

単列放射組織　18 ⇒ uniseriate ray

遅延時間　109 ⇒ retardation time

遅延スペクトル　111 ⇒ retardation spectrum

遅延変形　109 ⇒ delayed deformation

竹稈　177

縮み杢　93

着火　65／木材が加熱され，熱分解し，熱分解生成物と空気から成る混合気が可燃濃度に達した状態のところに電気スパークや火炎などの口火が存在すると木材は発炎燃焼を開始する。本書ではこれを着火という。

中間柱　156

抽出成分　30, 33 ⇒ extractive

中立軸 140 ⇒ neutral axis
長期荷重持続時間 165 ⇒ DOL(duration of load)
頂端分裂組織 10 ⇒ apical meristem
長柱 156
直立細胞 22 ⇒ upright ray cell
直流電場 72
貯蔵弾性率 121
直交異方性材料 101 ⇒ orthotropic material
チロース 14, 20 ⇒ tylosis／加齢等により道管の通水機能が低下すると，隣接する放射柔細胞や軸方向柔細胞から細胞質が壁孔を通して泡状や隔壁状にあふれ出す。これをチロースという。チロースの形成とともに道管は閉塞する。
チロソイド 19 ⇒ tylosoid
沈着(壁孔膜に) 18 ⇒ pit incrustation

通直木理 15 ⇒ straight grain
強さ(強度) 98 ⇒ strength

低位発熱量 67
抵抗 69
抵抗率 69 ⇒ resistivity
定常状態 46 ⇒ steady state
デジタルスペックル写真法 128 ⇒ DSP (digital speckle photography)
デジタル画像相関法 128 ⇒ digital image correction method
電圧 69
電気双極子モーメント 71
電気抵抗式含水率計 75
電気伝導率 69
電気変位 72
電気容量 72
電子分極 71 ⇒ electronic polarization
電場 72
伝搬速度 77
電流 69

透過 47 ⇒ permeation
透過率 81
道管状仮道管 20 ⇒ vascular tracheid
道管相互壁孔 19 ⇒ intervessel pitting

道管要素 19 ⇒ vessel element
動的剛性率 118
動的弾性率 118, 121
動的粘弾性 117 ⇒ dynamic viscoelasticity
導電率 69 ⇒ electrical conductivity
等方性材料 101 ⇒ isotropic material
凍裂 28 ⇒ 霜割れ，frost cracks
トールス 18, 48 ⇒ torus／有縁壁孔の壁孔膜で，中央にある円盤状の密な部分をトールス，トールスの回りにある網状な部分をマルゴという。隣接する細胞への水分移動はマルゴを介して行われる。
特性インピーダンス 77 ⇒ characteristic impedance
特性緩和時間 113
独立柔組織 21 ⇒ apotracheal parenchyma
ドライングセット 53 ⇒ drying set

な 行

内樹皮 10 ⇒ inner bark
内部摩擦 78, 120
内力 95 ⇒ internal force
生材含水率 43 ⇒ moisture content in green
生材状態 43 ⇒ green condition
生材密度 37 ⇒ density of green wood
生節 28 ⇒ live knot

二次師部 11 ⇒ secondary phloem
二次成長 11 ⇒ secondary growth
二次壁 22 ⇒ secondary wall
二次壁外層(S_1層) 22
二次壁中層(S_2層) 22, 26
二次壁内層(S_3層) 22
二次放射組織 13 ⇒ secondary ray
二次木部 11 ⇒ secondary xylem
日本工業規格(JIS) 189
ニュートンの粘性法則 108 ⇒ Newton's law

ぬか目 28, 40
抜節 28 ⇒ loose knot

根 9 ⇒ root
ねじり 144
ねじり強度 144 ⇒ torsional strength

熱拡散率　63 ⇒ thermal diffusivity
熱重量減少曲線（TG曲線）　66
熱重量減少速度曲線（DTG曲線）　66
熱伝導　61 ⇒ heat conduction
熱伝導率　61 ⇒ thermal conductivity
熱分解　65
熱分析　66 ⇒ thermal analysis
熱膨張　59 ⇒ thermal expansion
熱容量　61 ⇒ heat capacity
熱流計　64
熱流束　61 ⇒ heat flux
熱流量　64
熱劣化　65
粘性　106 ⇒ viscosity
粘性流動　117
粘弾性　108, 117 ⇒ viscoelasticity
粘弾性材料　106 ⇒ viscoelastic material
年輪　13 ⇒ annual ring
年輪幅　40

は　行

配向分極　71 ⇒ orientational polarization
灰分　30
破壊　98, 125 ⇒ fracture
破壊靭性　127, 128 ⇒ factor toughness
破壊の条件　126
破壊力学　125
波状木理　15 ⇒ wavy grain
破損　125 ⇒ failure
ハチク　176
発炎　65 ⇒ flaming
発火　65／木材が加熱されて熱分解し，熱
　分解生成物と空気から成る混合気が可燃
　濃度に達した状態の時，木材が高い雰囲
　気温度に曝されると口火が無くても発炎
　燃焼を開始する。本書ではこれを発火と
　いう。
発熱量　67 ⇒ calorific value
梁せい　167 ⇒ beam depth
半価幅　120
半環孔材　14, 20 ⇒ semi-ring porous wood
半径方向　52 ⇒ 放射方向
晩材　13 ⇒ latewood
晩材部　40
晩材率　40 ⇒ latewood percentage

皮殻物質　22 ⇒ encrusting substance
比強度　134
比重　35 ⇒ specific gravity
非晶領域　44 ⇒ amorphous
ヒステリシス　46 ⇒ hysteresis
ひずみ　96 ⇒ strain
皮層　10 ⇒ cortex
引張あて材　27 ⇒ tension wood
引張応力　97 ⇒ tensile stress
引張強度　134
比抵抗　69 ⇒ specific resistance
非定常状態　46, 114 ⇒ unsteady state
比熱　60 ⇒ specific heat
非破壊測定　170
比誘電率　72 ⇒ specific permittivity,
　dielectric constant
標準含水率　44 ⇒ normal moisture content,
　standard moisture content
標準試験体　191
表皮　10 ⇒ epidermis
表面抵抗率　69
比例限度　97 ⇒ proportional limit
比例限度応力　131
疲労　153 ⇒ fatigue

ファンデルワールス力　44 ⇒ van der
　Waals force
フィジカルエージング　115, 123 ⇒ physical
　aging
フィックの法則　46 ⇒ Fick's low／物質の
　拡散に関する基本法則で，第1法則と第
　2法則とがある。第1法則は状態を決定
　する諸量が時間的に変化しない状態（定
　常状態）に用いられ，2-10式に示すよう
　に，単位時間に単位面積を通過する物質
　の量がその物質の濃度勾配に比例すると
　するものである。第2法則は第1法則か
　ら導かれ（2-11式参照），非定常状態に用
　いられる。
フォークトモデル　108 ⇒ Voigt model
不規則木理　16 ⇒ irregular grain
複合細胞間層　23 ⇒ compound middle
　lamella
輻射熱強度　66／輻射により伝わる熱の強
　さのことで，単位はkW/m^{2}である。日

本における不燃材料等の防火材料の認定
では，電気スパークによる口火の存在下
で，材料を $50\,\mathrm{kW/m^2}$ の輻射熱強度で加
熱する燃焼発熱性試験が行われている。
複素弾性率　120
複素平面状　120
複素誘電率　72 ⇒ complex dielectric
　constant
節　27, 162, 177 ⇒ knot
節径比　163
節面積比　163
フックの法則　107 ⇒ Hooke's law
部分圧縮　130
部分圧縮強度　131 ⇒ partial compressive
　strength
ブリネル硬さ　146 ⇒ Brinell hardness
不連続年輪　13 ⇒ discontinuous annual
　ring
分光感度特性　87
分光反射率　86
分光分布　87
分子容　55／問題とする化合物の1分子の
　大きさ(体積)を表す尺度。一般に問題と
　する分子1 molの標準状態での体積をml
　単位で表す。液体や固体については，密
　度と分子量とから求めることができる。
　したがって，化合物の分子形状について
　の情報は与えない。モル体積の1つで，
　分子体積ともいう。
分野　18 ⇒ cross field
分野壁孔　19 ⇒ cross-field pitting

平衡含水率　43 ⇒ equilibrium moisture
　content
平伏細胞　22 ⇒ procumbent ray cell
ベーラー曲線　154 ⇒ Wöhler curve
壁孔縁　18 ⇒ pit border
壁孔膜　18 ⇒ pit membrane
ヘミセルロース　23, 30, 32 ⇒ hemicellulose
変形　95 ⇒ deformation
辺材　14 ⇒ sapwood
変色　87

ポアソン効果　98 ⇒ Poisson's effect
ポアソン数　100 ⇒ Poisson's number

ポアソン比　99 ⇒ Poisson's ratio
方形細胞　22 ⇒ square ray cell
放射仮道管　17, 18 ⇒ ray tracheid
放射孔材　20 ⇒ radial porous wood
放射柔細胞　17, 18 ⇒ ray parenchyma cell
放射断面　12 ⇒ radial section
放射方向　12, 52 ⇒ radial direction
膨潤　49 ⇒ swelling／物体の体積あるいは
　寸法が大きくなる現象を膨張というが，
　このうちとくに液体やその蒸気を取り込
　んで膨らむ現象を膨潤という。なお，膨
　張現象としては熱膨張がよく知られてい
　るが，木材の場合，10℃ 程度の温度変化
　による寸法変化は数％程度の含水率変化
　による寸法変化よりもはるかに小さい。
膨潤圧　54 ⇒ swelling pressure
膨潤応力　54 ⇒ swelling stress
膨潤性ゲル　54／高分子などの固体(分散
　質)が液体(分散媒)中に分散した物体が
　コロイドであり，流動性のあるものをゾ
　ル，ゾルが温度変化や分散剤の減少のた
　めに分散質のネットワークが効果を発揮
　して流動性を失ったものをゲルと呼んで
　いる。液体やその蒸気を吸って膨潤する
　ゲルを膨潤性ゲルという。
紡錘形始原細胞　17／仮道管や木部繊維等
　の縦に長い細胞をつくる形成層始原細胞
　のこと。
紡錘形柔細胞　21 ⇒ fusiform parenchyma
　cell
飽水状態　43 ⇒ water saturated condition
法正含水率　44

ま 行

マイクロ波　73
マイクロ波水分計　75
マイヤー硬さ　147 ⇒ Meyer hardness
マオウ型せん孔　19 ⇒ ephedroid
　perforation
マクスウェルの相反定理　103／連続した弾
　性体に任意の点 i および j がある。i 点に
　荷重 P_i が作用したときと j 点に荷重 P_j が
　作用したときを考える。i 点に荷重 P_i が
　作用したときの j 点の P_j 方向の変形量 Y_{ji}
　を比例定数 k_{ji} を用いて $Y_{ji} = k_{ji}P_i$ と表す。

索　引

同様に，j 点に荷重 P_j が作用したときの i 点の P_i 方向の変形量 Y_{ij} を比例定数 k_{ij} を用いて $Y_{ij} = k_{ij} P_j$ と表す。このとき $k_{ij} = k_{ji}$（$P_i Y_{ij} = P_j Y_{ji}$）が成り立つ。また，$P_i = P_j$ ならば $Y_{ji} = Y_{ij}$ である。

（具体例）　図のような片持はりを考える。点Aに荷重200N（P_A）を加えたときの点Bのたわみが10mm（y_{BA}）であれば，点Bに荷重100N（P_B）を加えたときの点Aのたわみは5mm（y_{AB}）である。このとき $P_A y_{AB} = P_B y_{BA}$ が成り立つ。

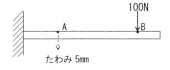

マクスウェルモデル　109 ⇒ Maxwell model
曲げ　140 ⇒ bending
曲げ強度　140, 166 ⇒ bending strength
曲げ試験　142
曲げ弾性率　143 ⇒ MOE（modulus of elasticity）
曲げ破壊係数　141, 143 ⇒ modulas of rupture in bending, MOR
曲げ比例限度応力　143
曲げモーメント　140
まさ目　12 ⇒ edge grain, quarter-sawn grain
まさ目面　12 ⇒ 放射断面
マダケ　176
マトリックス物質　22 ⇒ matrix substance
摩耗　151 ⇒ abrasion, wear
摩耗試験　152
マルゴ　48 ⇒ margo，トールス

見かけ密度　36
ミクロフィブリル傾角　26, 132 ⇒ microfibril angle／仮道管または木部繊維の細胞壁二次壁中層のミクロフィブリルの配向と軸方向とのなす角度のこと。MFAと略される。一般にMFAが小さければ弾性率が高いとされる。
水食材　29 ⇒ wetwood
未成熟材　17, 25 ⇒ juvenile wood
密度　35, 160 ⇒ density

無欠点小試験体　172
無等級材　172

メカノソープティブクリープ　114 ⇒ mechano-sorptive creep
メカノソープティブ緩和　114 ⇒ mechano-sorptive relaxation
メトリック彩度　88 ⇒ metric chroma
メトリック色相角　88 ⇒ metric hue angle
メトリック明度　88 ⇒ metric lightness
目回り　28 ⇒ ring shake

モウソウチク　176
木材実質　35
木材実質密度　38
木材の燃焼　65
木質構造基礎理論　172
目視等級区分法　169 ⇒ visual stress grading
木部繊維　14, 19 ⇒ wood fiber
木本植物　9 ⇒ woody plant
木理　15 ⇒ grain
木化　32 ⇒ lignification
もめ　28 ⇒ compression failure
紋様孔材　20 ⇒ flame like porous wood

や　　行

ヤンカ硬さ　146 ⇒ Janka hardness
ヤング率　77, 97 ⇒ Young's modulus

有縁壁孔　17 ⇒ bordered pit
有縁壁孔対　17 ⇒ bordered pit pair
有縁壁孔の閉塞（閉鎖）　18 ⇒ pit aspiration
有効細長比　174／細長い部材（柱）の両端から圧縮力をかけた際に外にはらみだす（座屈）のか，圧縮変形が進むのかを調べ

るための係数である。断面の最小断面二
次半径で換算座屈長さを割った値であ
り，この値が大きいほど座屈しやすい。
誘電関数 72
誘電緩和 73 ⇒ dielectric relaxation
誘電損失 73 ⇒ dielectric loss
誘電体 71 ⇒ dielectric substance
誘電分極 71 ⇒ dielectric polarization
誘電分散 73
誘電率 72

容積密度 38 ⇒ basic density
容積密度数 38 ⇒ bulk density
横圧縮 130
横圧縮弾性率 131 ⇒ Young's modulus in
　compression perpendicular to grain
横せん断強度 138
横ひずみ 99 ⇒ transversal strain
横引張強度 134, 136

ら　行

落錘式衝撃試験法 148
らせん木理 15 ⇒ spiral grain
乱反射 90

リグニン 23, 30, 32 ⇒ lignin
理想的な弾性体 120
リップルマーク 16 ⇒ ripple marks

レオロジー 106, 117 ⇒ rheology
劣化影響係数 174

ローリング・シアー 104, 139 ⇒ rolling
　shear

わ　行

ワイブル分布 125 ⇒ Weibull distribution

Wood Science Series 3 Physics of Wood [Revised edition]
edited by
Y. Ishimaru, Y. Furuta, and M. Sugiyama

もくざいかがくこうざ 3　もくざいのぶつり

木材科学講座 3　木材の物理　改訂版

発 行 日	2017 年 10 月 1 日　初版第 1 刷
	2022 年 11 月 18 日　改訂版第 1 刷
定　　価	カバーに表示してあります
編　　者	石 丸　　優
	古 田 裕 三
	杉 山 真 樹
発 行 者	宮 内　　久

海青社
Kaiseisha Press

〒520-0112　大津市日吉台2丁目16-4
Tel. (077) 577-2677　Fax (077) 577-2688
http://www.kaiseisha-press.ne.jp
郵便振替　01090-1-17991

● Copyright © 2022　● ISBN978-4-86099-418-1 C3350　● Printed in JAPAN
● 乱丁落丁はお取り替えいたします

本書のコピー、スキャン、デジタル化等の無断複製は著作権法上での例外を除き禁じられています。本書を代行業者等の第三者に依頼してスキャンやデジタル化することはたとえ個人や家庭内の利用でも著作権法違反です。

◆ 海青社の本・冊子版・電子版同時発売中 ◆

ティンバーメカニクス 木材の力学 理論と応用
日本木材学会 木材強度・木質構造研究会 編

木材や木質材料の力学的性能の解析は古くから行なわれ、実験から木材固有の性質を見出し、理論的背景が構築されてきた。本書は既往の文献を元に、現在までの理論を学生や実務者向けに編纂した。カラー16頁付。
〔ISBN978-4-86099-289-7/A 5判/定価3,850円〕

バイオ系の 材料力学
佐々木康寿 著

機械／建築・土木／林学・林産／環境など多分野にわたって必須となる材料力学について、力学的概念、基本的原理、ものの考え方の理解に重点をおき、バイオ系分野で対象となる生物材料についても解説した。
〔ISBN978-4-86099-306-1/A 5判/定価2,640円〕

広葉樹材の識別 IAWAによる光学 顕微鏡的特徴リスト
IAWA委員会編／伊東隆夫・藤井智之・佐伯浩 訳

IAWA（国際木材解剖学者連合）"Hardwood List"の日本語版。簡潔かつ明白な定義（221項目の木材解剖学的特徴リスト）と写真（180枚）は広く世界中で活用されている。日本語版出版に際し付した「用語および索引」は大変好評。原著版は1989年刊。
〔ISBN978-4-906165-77-3/B 5判/定価2,619円〕

針葉樹材の識別 IAWAによる光学 顕微鏡的特徴リスト
IAWA委員会編／伊東隆夫ほか4名共訳

IAWAの"Hardwood list"と対を成す"Softwood list"の日本語版。現生木材、考古学木質遺物、化石木材等の樹種同定に携わる人に『広葉樹材の識別』と共に必携の書。124項目の木材解剖学的特徴リスト（写真74枚）を掲載。原著版は2004年刊。
〔ISBN978-4-86099-222-4/B 5判/定価2,420円〕

樹皮の識別 IAWAによる光学 顕微鏡的特徴リスト
IAWA委員会編／佐野雄三・吉永新・半智史訳

IAWA（国際木材解剖学者連合）による樹皮組織の解剖学的学術用語集。懇切な解説文とともに、樹皮識別の際に手がかりとなる解剖学的特徴を明示する光学顕微鏡写真が付された樹皮解剖学事典でもある。オールカラー。
〔ISBN978-4-86099-382-5/B 5判/定価3,520円〕

木質の形成 第2版
福島和彦ほか5名共編

木質とは何か。その構造、形成、機能を中心に最新の研究成果を折り込み、わかりやすくまとめた。最先端の研究成果も豊富に盛り込まれており、木質に関する基礎から応用研究に従事する研究者にも広く役立つ。改訂増補版。
〔ISBN978-4-86099-252-1/A 5判/定価4,400円〕

あて材の科学 樹木の重力応答 と生存戦略
吉澤伸夫監修・日本木材学会組織と材質研究会 編

巨樹・巨木は私たちに畏敬の念を抱かせる。樹木はなぜ、巨大な姿を維持できるのか？「あて材」はその不思議を解く鍵なのです。本書では、その形成過程、組織・構造、特性などについて、最新の研究成果を踏まえてわかりやすく解説。カラー16頁付。
〔ISBN978-4-86099-261-3/A 5判/定価4,180円〕

カラー版 日本有用樹木誌
伊東隆夫・佐野雄三・安部 久・内海泰弘・山口和穂

"適材適所"を見て、読んで、楽しめる樹木誌。古来より受け継がれる、わが国の「木の文化」を語る上で欠かせない約100種の樹木について、その生態と、特に材の性質や用途を写真とともに紹介。オールカラー。
〔ISBN978-4-86099-248-4/A 5判/定価3,666円〕

木材科学講座（全12巻）　　□ は既刊

1	概 論	定価2,046円 ISBN978-4-906165-59-9
2	組織と材質 第2版	定価2,030円 ISBN978-4-86099-279-8
3	木材の物理 改訂版	定価2,090円 ISBN978-4-86099-418-1
4	木材の化学	定価2,100円 ISBN978-4-906165-44-5
5	環 境 第2版	定価2,030円 ISBN978-4-906165-89-6
6	切削加工 第2版	定価2,024円 ISBN978-4-86099-228-6
7	木材の乾燥 I 基礎編 II応用編	I: 1,760円、II: 2,200円 ISBN978486099375-7, 376-4
8	木質資源材料 改訂増補	定価2,090円 ISBN978-4-906165-80-3
9	木質構造	定価2,515円 ISBN978-4-906165-71-1
10	バイオマス	（続刊）
11	バイオテクノロジー	定価2,090円 ISBN978-4-906165-69-8
12	保存・耐久性	定価2,046円 ISBN978-4-906165-67-4

＊表示価格は10％の消費税込です。電子版は小社HPで販売中。